dtv
Bibliothek der Erstausgaben

★

Gotthold Ephraim Lessing
Minna von Barnhelm, oder das Soldatenglück

Gotthold Ephraim Lessing

# Minna von Barnhelm, oder das Soldatenglück

Ein Lustspiel in fünf Aufzügen

Berlin 1767

Herausgegeben von
Joseph Kiermeier-Debre

Deutscher Taschenbuch Verlag

Der Nachdruck des Textes folgt originalgetreu
der Erstausgabe von 1767.
Die Originalpaginierung wird im fortlaufenden Text vermerkt.
Der Anhang gibt Auskunft zu Autor und Werk.

Originalausgabe
Juni 1997
Deutscher Taschenbuch Verlag GmbH & Co. KG, München

Umschlagkonzept: Balk & Brumshagen
Umschlagbild: Ausschnitt des Gemäldes
„Der Geldwechsler und seine Frau" (1514)
von Quentin Massys
Gesetzt aus der Bembo Berthold
Satz: Fritz Franz Vogel, CH-Wädenswil
Druck und Bindung: C. H. Beck'sche Buchdruckerei, Nördlingen
Gedruckt auf säurefreiem, chlorfrei gebleichtem Papier
Printed in Germany • ISBN 3-423-02610-3

# Minna von Barnhelm,

oder

# das Soldatenglück.

---

Ein Lustspiel in fünf Aufzügen,

von

Gotthold Ephraim Lessing.

---

Berlin,

bey Christian Friederich Voß.

1767.

# Personen.

Major von Tellheim, verabschiedet.
Minna von Barnhelm.
Graf von Bruchsall, ihr Oheim.
10 Franciska, ihr Mädchen.
Just, Bedienter des Majors.
Paul Werner, gewesener Wachmeister des Majors.
Der Wirth.
Eine Dame in Trauer.
15 Ein Feldjäger.
Riccaut de la Marliniere.

*Die Scene ist abwechselnd in dem Saale eines Wirthshauses, und einem daran stoßenden Zimmer.*

## Erster Aufzug.

### Erster Auftritt.

Just. *(sitzet in einem Winckel, schlummert, und redet im Traume)*
10 Schurcke von einem Wirthe! Du, uns? – Frisch, Bruder! – Schlag zu, Bruder! – *(er hohlt aus, und erwacht durch die Bewegung)* He da! schon wieder? Ich mache kein Auge zu, so schlage ich mich mit ihm herum. Hätte er nur erst die Hälfte von allen den Schlägen! – – Doch sieh, es ist Tag!
15 Ich muß nur bald meinen armen Herrn aufsuchen. Mit meinem Willen soll er keinen Fuß mehr in das vermaledeyte Haus [s]etzen. Wo wird er die Nacht zugebracht haben?

20

|6|

### Zweyter Auftritt.
Der Wirth. Just.

25 Der Wirth.
Guten Morgen, Herr Just, guten Morgen! Ey, schon so früh auf? Oder soll ich sagen: noch so spät auf?

Just.
30 Sage Er, was Er will.

DER WIRTH.
Ich sage nichts als, guten Morgen; und das verdient doch wohl, daß Herr Just, großen Dank, darauf sagt?

5 JUST.
Großen Dank!

DER WIRTH.
Man ist verdrüßlich, wenn man seine gehörige Ruhe nicht
10 haben kann. Was gilts, der Herr Major ist nicht nach Hause gekommen, und Er hat hier auf ihn gelauert?

JUST.
Was der Mann nicht alles errathen kann!
15

DER WIRTH.
Ich vermuthe, ich vermuthe.

JUST. *(kehrt sich um, und will gehen)*
20 Sein Diener!

DER WIRTH. *(hält ihn)*
Nicht doch, Herr Just!

25 JUST.
Nun gut; nicht Sein Diener!

|7| DER WIRTH.
Ey, Herr Just! ich will doch nicht hoffen, Herr Just, daß Er
30 noch von gestern her böse ist? Wer wird seinen Zorn über Nacht behalten?

JUST.
Ich; und über alle folgende Nächte.

DER WIRTH.
5 Ist das christlich?

JUST.
Eben so christlich, als einen ehrlichen Mann, der nicht gleich bezahlen kann, aus dem Hause stoßen, auf die Straße werfen.
10

DER WIRTH.
Pfuy, wer könnte so gottlos seyn?

JUST.
15 Ein christlicher Gastwirth. – Meinen Herrn! so einen Mann! so einen Officier!

DER WIRTH.
Den hätte ich aus dem Hause gestoßen? auf die Straße
20 geworfen? Dazu habe ich viel zu viel Achtung für einen Officier, und viel zu viel Mitleid mit einem abgedankten! Ich habe ihm aus Noth ein ander Zimmer einräumen müssen. – Denke Er nicht mehr daran, Herr Just. *(er rufft in die Scene:)* Holla! – Ich wills auf andere Weise wieder gut
25 machen. *(Ein Junge kömmt)* Bring ein Gläßchen; Herr Just will ein Gläßchen haben; und was gutes!

|8| JUST.
Ma[c]he Er Sich keine Mühe, Herr Wirth. Der Tropfen
30 soll zu Gift werden, den – Doch ich will nicht schwören; ich bin noch nüchtern!

DER WIRTH. *(zu dem Jungen, der eine Flasche Liqueur und ein Glaß bringt)*
Gib her; geh! – Nun, Herr Just; was ganz vortr[e]fflich[e]s; stark, lieblich, gesund. *(er füllt, und reicht ihm zu)* Das kann
5 einen überwachten Magen wieder in Ordnung bringen!

JUST.
Bald dürfte ich nicht! – – Doch warum soll ich meiner Gesundheit seine Grobheit entgelten lassen? – *(er nimmt und trinkt)*

10

DER WIRTH[.]
Wohl bekomms, Herr Just!

JUST. *(indem er das Gläßchen wieder zurück giebt)*
15 Nicht übel! – Aber Herr Wirth, Er ist doch ein Grobian!

DER WIRTH.
Nicht doch, nicht doch! – Geschwind noch eins; auf einem Beine ist nicht gut stehen.

20

JUST. *(nachdem er getrunken)*
Das muß ich sagen: gut, sehr gut! – Selbst gemacht, Herr Wirth? –

25 |9| DER WIRTH[.]
Behüte! veritabler Danziger! echter, doppelter Lachs!

JUST.
Sieht Er, Herr Wirth; wenn ich heucheln könnte, so
30 würde ich für so was heucheln; aber ich kann nicht; es muß raus: – Er ist doch ein Grobian, Herr Wirth!

Der Wirth.
In meinem Leben hat mir das noch niemand gesagt. – Noch eins, Herr Just; aller guten Dinge sind drey!

Just[.]
Meinetwegen! *(er trinkt)* Gut Ding, wahrlich gut Ding! – Aber auch die Wahrheit ist gut Ding. – Herr Wirth, Er ist doch ein Grobian!

Der Wirth.
Wenn ich es wäre, würde ich das wohl so mit anhören?

Just.
O ja, denn selten hat ein Grobian Galle.

Der Wirth.
Nicht noch eins, Herr Just? Eine vierfache Schnur hält desto besser.

Just.
Nein, zu viel ist zu viel! Und was hilfts Ihn, Herr Wirth? Bis auf den letzten Tropfen in der Flasche würde ich bey meiner Rede bleiben. Pfuy, Herr Wirth; so guten |10| Danziger zu haben, und so schlechte Mores! – Einem Manne, wie meinem Herrn, der Jahr und Tag bey Ihm gewohnt, von dem Er schon so manchen schönen Thaler gezogen, der in seinem Leben keinen Heller schuldig geblieben ist; weil er ein Paar Monate her nicht prompt bezahlt, weil er nicht mehr so viel aufgehen läßt, – in der Abwesenheit das Zimmer auszuräumen!

DER WIRTH.
Da ich aber das Zimmer nothwendig brauchte? da ich voraus sahe, daß der Herr Major es selbst gutwillig würde geräumt haben, wenn wir nur lange auf seine Zurück-
5 kunft hätten warten können? Sollte ich denn so eine fremde Herrschaft wieder von meiner Thüre wegfahren lassen? Sollte ich einem andern Wirthe so einen Verdienst muthwillig in den Rachen jagen? Und ich glaube nicht einmal, daß sie sonst wo unterkommen wäre. Die Wirths-
10 häuser sind ietzt alle stark besetzt. Sollte eine so junge, schöne, liebenswürdige Dame, auf der Straße bleiben? Dazu ist sein Herr viel zu galant! Und was verliert er denn dabey? Habe ich ihm nicht ein anderes Zimmer dafür eingeräumt?
15

|11| JUST.
Hinten an dem Taubenschlage; die Aussicht zwischen des Nachbars Feuermauren –

20 DER WIRTH.
Die Aussicht war wohl sehr schön, ehe sie der verzweifelte Nachbar verbaute. Das Zimmer ist doch sonst galant, und tapezirt –

25 JUST.
Gewesen!

DER WIRTH.
Nicht doch, die eine Wand ist es noch. Und Sein Stübchen
30 darneben, Herr Just; was fehlt dem Stübchen? Es hat einen Kamin; der zwar im Winter ein wenig raucht – –

JUST.
Aber doch im Sommer recht hübsch läßt. – Herr, ich glaube gar, Er vexirt uns noch oben drein? –

5 DER WIRTH.
Nu, nu, Herr Just, Herr Just –

JUST.
Mache Er Herr Justen den Kopf nicht warm, oder –

10

DER WIRTH.
Ich macht ihn warm? der Danziger thuts! –

JUST.
15 Einen, Officier wie meinen Herrn! Oder meynt Er, daß ein abgedankter Officier nicht |12| auch ein Officier ist, der Ihm den Hals brechen kann? Warum waret ihr denn im Kriege so geschmeidig, ihr Herren Wirthe? Warum war denn da jeder Officier ein würdiger Mann, und jeder
20 Soldat ein ehrlicher, braver Kerl? Macht euch das Bißchen Friede schon so übermüthig?

DER WIRTH.
Was ereyfert Er Sich nun, Herr Just? –

25

JUST.
Ich will mich ereyfern. – –

## Dritter Auftritt.
v. Tellheim. Der Wirth. Just.

v. Tellheim. *(im Hereintretten)*
5 Just!

Just. *(in der Meynung, daß ihn der Wirth nenne)*
So bekannt sind wir? –

10 v. Tellheim.
Just!

Just.
Ich dächte, ich wäre wohl Herr Just für Ihn!
15

Der Wirth. *(der den Major gewahr wird)*
St! st! Herr, Herr, Herr Just, – seh Er Sich doch um; Sein
Herr – –

20 |13| v. Tellheim.
Just, ich glaube, du zankst? Was habe ich dir befohlen?

Der Wirth.
O, Ihro Gnaden! zanken? da sey Gott vor! Ihr unterthä-
25 nigster Knecht sollte sich unterstehen, mit einem, der die
Gnade hat, Ihnen anzugehören, zu zanken?

Just.
Wenn ich ihm doch eins auf den Katzenbuckel geben
30 dürfte! – –

DER WIRTH.
Es ist wahr, Herr Just spricht für seinen Herrn, und ein wenig hitzig. Aber daran thut er recht; ich schätze ihn um so viel höher; ich liebe ihn darum. –

5

JUST.
Daß ich ihm nicht die Zähne austreten soll!

DER WIRTH.
10 Nur Schade, daß er sich umsonst erhitzet. Denn ich bin gewiß versichert, daß Ihro Gnaden keine Ungnade deswegen auf mich geworfen haben, weil – die Noth – mich nothwendig –

15 V. TELLHEIM.
Schon zu viel, mein Herr! Ich bin Ihnen schuldig; Sie räumen mir, in meiner Abwesenheit, das Zimmer aus; Sie müssen be|14|zahlt werden; ich muß wo anders unterzukommen suchen. Sehr natürlich! –

20

DER WIRTH.
Wo anders? Sie wollen ausziehen, gnädiger Herr? Ich unglücklicher Mann! ich geschlagner Mann! Nein, nimmermehr! Eher muß die Dame das Quartier wieder
25 räumen. Der Herr Major kann ihr, will ihr sein Zimmer nicht lassen; das Zimmer ist sein; sie muß fort; ich kann ihr nicht helfen. – Ich gehe, gnädiger Herr – –

V. TELLHEIM.
30 Freund, nicht zwey dumme Streiche für einen! Die Dame muß in dem Besitze des Zimmers bleiben. – –

DER WIRTH.
Und Ihro Gnaden sollten glauben, daß ich aus Mißtrauen, aus Sorge für meine Bezahlung? – – Als wenn ich nicht wüßte, daß mich Ihro Gnaden bezahlen können, so bald Sie nur
5 wollen. – – Das versiegelte Beutelchen, – fünfhundert Thaler Louisdor, stehet drauf, – – welches Ihro Gnaden in dem Schreibepulte stehen gehabt; – – ist in guter Verwahrung. –

|15| v. TELLHEIM.
10 Das will ich hoffen; so wie meine übrige Sachen. – Just soll sie in Empfang nehmen, wenn er Ihnen die Rechnung bezahlt hat. – –

DER WIRTH.
15 Wahrhaftig, ich erschrack recht, als ich das Beutelchen fand. – Ich habe immer Ihro Gnaden für einen ordentlichen und vorsichtigen Mann gehalten, der sich niemals ganz ausgiebt. – – Aber dennoch, – – wenn ich baar Geld in dem Schreibepulte vermuthet hätte – –
20

v. TELLHEIM.
Würden Sie höflicher mit mir verfahren seyn. Ich verstehe Sie. – Gehen Sie nur, mein Herr; lassen Sie mich; ich habe mit meinem Bedienten zu sprechen. – –
25

DER WIRTH.
Aber gnädiger Herr – –

v. TELLHEIM.
30 Komm Just, der Herr will nicht erlauben, daß ich dir in seinem Hause sage, was du thun sollst. – –

DER WIRTH.
Ich gehe ja schon, gnädiger Herr! – Mein ganzes Haus ist zu Ihren Diensten.

5 |16|

VIERTER AUFTRITT.
v. TELLHEIM. JUST.

JUST. *(der mit dem Fusse stampft, und dem Wirthe nachspuckt)*
10 Pfuy!

v. TELLHEIM.
Was giebts?

15 JUST |.|
Ich ersticke vor Bosheit.

v. TELLHEIM.
Das wäre so viel, als an Vollblütigkeit.
20

JUST.
Und Sie, – Sie erkenne ich nicht mehr, mein Herr[.] Ich sterbe vor Ihren Augen, wenn Sie nicht der Schutzengel dieses hämischen, unbarmherzigen Rackers sind! Trotz
25 Galgen und Schwerd und Rad, hätte ich ihn – hätte ich ihn mit diesen Händen erdrosseln, mit diesen Zähnen zerreissen wollen. –

v. TELLHEIM.
30 Bestie!

JUST.
Lieber Bestie, als so ein Mensch!

v. TELLHEIM.
5 Was willst du aber?

JUST.
Ich will, daß Sie es empfinden sollen, wie sehr man Sie beleidiget.

10

v. TELLHEIM.
Und dann?

|17| JUST.
15 Daß Sie Sich rächten – Nein, der Kerl ist Ihnen zu gering. –

v. TELLHEIM.
Sondern, daß ich es dir auftrüge, mich zu rächen? Das war von Anfang mein Gedanke. Er hätte mich nicht wieder
20 mit Augen sehen, und seine Bezahlung aus deinen Händen empfangen sollen. Ich weiß, daß du eine Hand voll Geld mit einer ziemlich verächtlichen Miene hinwerfen kannst. –

25 JUST.
So? eine vortreffliche Rache! –

v. TELLHEIM.
Aber die wir noch verschieben müssen. Ich habe keinen
30 Heller baares Geld mehr; ich weiß auch, keines aufzutreiben.

JUST.
Kein baares Geld? Und was ist denn das für ein Beutel, mit fünfhundert Thaler Louisdor den der Wirth in Ihrem Schreibepulte gefunden?

5

v. TELLHEIM.
Das ist Geld, welches mir aufzuheben gegeben worden.

JUST.
10 Doch nicht die hundert Pistolen, die Ihnen Ihr alter Wachtmeister vor vier oder fünf Wochen brachte?

|18| v. TELLHEIM.
Die nehmlichen, von Paul Wernern. Warum nicht?

15

JUST.
Diese haben Sie noch nicht gebraucht? Mein Herr, mit diesen können Sie machen, was Sie wollen. Auf meine Verantwortung –

20

v. TELLHEIM.
Wahrhaftig?

JUST.
25 Werner hörte von mir, wie sehr man Sie mit Ihren Forderungen an die Generalkriegskasse aufzieht. Er hörte –

v. TELLHEIM.
Daß ich sicherlich zum Bettler werden würde, wenn ich
30 es nicht schon wäre. – Ich bin dir sehr verbunden, Just. – Und diese Nachricht vermochte Wernern, sein Bißchen

Armuth mit mir zu theilen. – Es ist mir doch lieb, daß ich es errathen habe. – Höre Just, mache mir zugleich auch deine Rechnung; wir sind geschiedene Leute. – –

5 JUST.
Wie? was?

v. TELLHEIM.
Kein Wort mehr; es kömmt jemand. –

10

|19|

FÜNFTER AUFTRITT.
EINE DAME IN TRAUER. V. TELLHEIM. JUST.

15 DIE DAME.
Ich bitte um Verzeihung, mein Herr! –

v. TELLHEIM.
Wen suchen Sie, Madame? –

20

DIE DAME.
Eben den würdigen Mann, mit welchem ich die Ehre habe zu sprechen. Sie kennen mich nicht mehr? Ich bin die Wittwe Ihres ehemahligen Staabsrittmeisters –

25

v. TELLHEIM.
Um des Himmels willen, gnädige Frau! welche Veränderung! –

30 DIE DAME.
Ich stehe von dem Krankenbette auf, auf das mich der

Schmerz über den Verlust meines Mannes warf. Ich muß Ihnen früh beschwerlich fallen, Herr Major. Ich reise auf das Land, wo mir eine gutherzige, aber eben auch nicht glückliche Freundinn eine Zuflucht vors erste angeboten. –

5

v. TELLHEIM. *(zu Just)*
Geh, laß uns allein. –

|20|

10

### SECHSTER AUFTRITT.
### DIE DAME. VON TELLHEIM.

v. TELLHEIM.
Reden Sie frey, gnädige Frau! Vor mir dürfen Sie Sich Ihres
15 Unglücks nicht schämen. Kann ich Ihnen worinn dienen?

DIE DAME.
Mein Herr Major –

20 v. TELLHEIM.
Ich beklage Sie, gnädige Frau! Worinn kann ich Ihnen dienen? Sie wissen, Ihr Gemahl war mein Freund; mein Freund, sage ich; ich war immer karg mit diesem Titel.

25 DIE DAME.
Wer weiß es besser, als ich, wie werth Sie seiner Freundschaft waren, wie werth er der Ihrigen war? Sie würden sein letzter Gedanke, Ihr Name der letzte Ton seiner sterbenden Lippen gewesen seyn, hätte nicht die stärkere
30 Natur dieses traurige Vorrecht für seinen unglücklichen Sohn, für seine unglückliche Gattinn gefordert –

v. TELLHEIM.
Hören Sie auf, Madame! Weinen wollte ich mit Ihnen gern; aber ich habe heute keine Thränen. Verschonen Sie mich! Sie finden mich in einer Stunde, wo |21| ich leicht zu verleiten wäre, wider die Vorsicht zu murren. – O mein rechtschaffner Marloff! Geschwind, gnädige Frau, was haben Sie zu befehlen? Wenn ich Ihnen zu dienen im Stande bin, wenn ich es bin –

DIE DAME.
Ich darf nicht abreisen, ohne seinen letzten Willen zu vollziehen. Er erinnerte sich kurz vor seinem Ende, daß er als Ihr Schuldner sterbe, und beschwor mich, diese Schuld mit der ersten Baarschaft zu tilgen. Ich habe seine Equipage verkauft, und komme seine Handschrift einzulösen. –

v. TELLHEIM.
Wie, gnädige Frau? darum kommen Sie?

DIE DAME.
Darum. Erlauben Sie, daß ich das Geld aufzähle.

v. TELLHEIM.
Nicht doch, Madame; Marloff mir schuldig? das kann schwerlich seyn. Lassen Sie doch sehen. *(er ziehet sein Taschenbuch heraus und sucht)* Ich finde nichts.

DIE DAME.
Sie werden seine Handschrift verlegt haben, und die Handschrift thut nichts zur Sache. – Erlauben Sie –

|22| v. TELLHEIM.
Nein, Madame! so etwas pflege ich nicht zu verlegen. Wenn ich sie nicht habe, so ist es ein Beweis, daß ich nie eine gehabt habe, oder daß sie getilgt, und von mir schon zurück gegeben worden.

DIE DAME.
Herr Major! –

v. TELLHEIM.
Ganz gewiß, gnädige Frau. Marloff ist mir nichts schuldig geblieben. Ich wüßte mich auch nicht zu erinnern, daß er mir jemals etwas schuldig gewesen wäre. Nicht anders Madame; er hat mich vielmehr als seinen Schuldner hinterlassen. Ich habe nie etwas thun können, mich mit einem Manne abzufinden, der sechs Jahr Glück und Unglück, Ehre und Gefahr mit mir getheilet. Ich werde es nicht vergessen, daß ein Sohn von ihm da ist. Er wird mein Sohn seyn, so bald ich sein Vater seyn kann. Die Verwirrung, in der ich mich jetzt selbst befinde –

DIE DAME.
Edelmüthiger Mann! Aber denken Sie auch von mir nicht zu klein. Nehmen Sie das Geld, Herr Major; so bin ich wenigstens beruhiget. –

|23| v. TELLHEIM.
Was brauchen Sie zu Ihrer Beruhigung weiter, als meine Versicherung, daß mir dieses Geld nicht gehöret? Oder wollen Sie, daß ich die unerzogene Wayse meines Freundes bestehlen soll? Bestehlen, Madame; das würde es in

dem eigentlichsten Verstande seyn. Ihm gehört es; für ihn legen Sie es an. –

DIE DAME.
5 Ich verstehe Sie; verzeihen Sie nur, wenn ich noch nicht recht weiß, wie man Wohlthaten annehmen muß. Woher wissen es denn aber auch Sie, daß eine Mutter mehr für ihren Sohn thut, als sie für ihr eigen Leben thun würde? Ich gehe –

10

V. TELLHEIM.
Gehen Sie, Madame, gehen Sie! Reisen Sie glücklich! Ich bitte Sie nicht, mir Nachricht von Ihnen zu geben. Sie möchte mir zu einer Zeit kommen, wo ich sie nicht
15 nutzen könnte. Aber noch eines, gnädige Frau; bald hätte ich das Wichtigste vergessen. Marloff hat noch an der Kasse unsers ehemaligen Regiments zu fodern. Seine Foderungen sind so richtig, wie die meinigen. Werden meine bezahlt, |24| so müssen auch die seinigen bezahlt
20 werden. Ich hafte dafür. –

DIE DAME.
O! mein Herr – Aber ich schweige lieber. – Künftige Wohlthaten so vorbereiten, heißt sie in den Augen des
25 Himmels schon erwiesen haben. Empfangen Sie seine Belohnung, und meine Thränen! *(geht ab)*

## Siebender Auftritt.
v. Tellheim.

Armes, braves Weib! Ich muß nicht vergessen, den Bettel
5 zu vernichten. *(er nimmt aus seinem Taschenbuche Briefschaften, die er zerreißt)* Wer steht mir dafür, daß eigner Mangel mich nicht einmal verleiten könnte, Gebrauch davon zu machen?

10
## Achter Auftritt.
Just. v. Tellheim.

v. Tellheim.
Bist du da?

15

Just. *(indem er sich die Augen wischt)*
Ja!

v. Tellheim.
20 Du hast geweint?

|25| Just.
Ich habe in der Küche meine Rechnung geschrieben, und die Küche ist voll Rauch. Hier ist sie, mein Herr!

25

v. Tellheim.
Gieb her.

Just.
30 Haben Sie Barmherzigkeit mit mir, mein Herr. Ich weiß wohl, daß die Menschen mit Ihnen keine haben; aber –

v. TELLHEIM.
Was willst du? –

JUST.
Ich hätte mir eher den Tod, als meinen Abschied vermuthet.

v. TELLHEIM.
Ich kann dich nicht länger brauchen; ich muß mich ohne Bedienten behelfen lernen. *(schlägt die Rechnung auf, und lieset)* „Was der Herr Major mir schuldig: Drey und einen halben Monat Lohn, den Monat 6 Thaler, macht 21 Thaler. Seit dem ersten dieses, an Kleinigkeiten ausgelegt, 1 Thlr. 7 Gr. 9 Pf. Summa Summarum, 22 Thaler. 7 Gr. 9 Pf." – Gut, und es ist billig, daß ich dir diesen laufenden Monat ganz bezahle.

JUST.
Die andere Seite, Herr Major –

v. TELLHEIM.
Noch mehr? *(lieset)* „Was dem Herrn Major ich schuldig: An den Feldscheer |26| für mich bezahlt, 25 Thaler. Für Wartung und Pflege, während meiner Kur, für mich bezahlt, 39 Thlr. Meinem abgebrannten und geplünderten Vater, auf meine Bitte, vorgeschossen, ohne die zwey Beutepferde zu rechnen, die er ihm geschenkt, 50 Thaler. Summa Summarum, 114 Thaler. Davon abgezogen vorstehende 22 Thl. 17 [7] Gr. 9 Pf. bleibe dem Herrn Major schuldig, 91 Thlr. 16 gr. 3 Pf.["] – Kerl, du bist toll! –

JUST.
Ich glaube es gern, daß ich Ihnen weit mehr koste. Aber es wäre verlorne Dinte, es dazu zu schreiben. Ich kann Ihnen das nicht bezahlen, und wenn Sie mir vollends die Liverey nehmen, die ich auch noch nicht verdient habe, – so wollte ich lieber, Sie hätten mich in dem Lazarethe krepiren lassen.

V. TELLHEIM.
Wofür siehst du mich an? Du bist mir nichts schuldig, und ich will dich einem von meinen Bekannten empfehlen, bey dem du es besser haben sollst, als bey mir.

JUST.
Ich bin Ihnen nichts schuldig, und doch wollen Sie mich verstoßen?

|27| V. TELLHEIM.
Weil ich dir nichts schuldig werden will.

JUST.
Darum? nur darum? – So gewiß ich Ihnen schuldig bin, so gewiß Sie mir nichts schuldig werden können, so gewiß sollen Sie mich nun nicht verstoßen. – Machen Sie, was Sie wollen, Herr Major; ich bleibe bey Ihnen; ich muß bey Ihnen bleiben. –

V. TELLHEIM.
Und deine Hartnäckigkeit, dein Trotz, dein wildes ungestümes Wesen gegen alle, von denen du meynest, daß Sie dir nichts zu sagen haben, deine tückische Schadenfreude, deine Rachsucht – –

JUST.
Machen Sie mich so schlimm, wie Sie wollen; ich will darum doch nicht schlechter von mir denken, als von meinem Hunde. Vorigen Winter gieng ich in der Demmerung an dem Kanale, und hörte etwas winseln. Ich stieg herab, und griff nach der Stimme, und glaubte ein Kind zu retten, und zog einen Budel aus dem Wasser. Auch gut; dachte ich. Der Budel kam mir nach; aber ich bin kein Liebhaber von Budeln. Ich jagte ihn fort, umsonst; ich prügelte ihn von |28| mir, umsonst. Ich ließ ihn des Nachts nicht in meine Kammer; er blieb vor der Thüre auf der Schwelle. Wo er mir zu nahe kam, stieß ich ihn mit dem Fuße; er schrie, sahe mich an, und wedelte mit dem Schwanze. Noch hat er keinen Bissen Brod aus meiner Hand bekommen; und doch bin ich der einzige, dem er hört, und der ihn anrühren darf. Er springt vor mir her, und macht mir seine Künste unbefohlen vor. Es ist ein häßlicher Budel, aber ein gar zu guter Hund. Wenn er es länger treibt, so höre ich endlich auf, den Budeln gram zu seyn.

V. TELLHEIM. *(bey Seite)*
So wie ich ihm! Nein, es giebt keine völlige Unmenschen! – – Just, wir bleiben beysammen.

JUST.
Ganz gewiß! – Sie wollten Sich ohne Bedienten behelfen? Sie vergessen Ihrer Blessuren, und daß Sie nur eines Armes mächtig sind. Sie können Sich ja nicht allein ankleiden. Ich bin Ihnen unentbehrlich; und bin, – – ohne mich selbst zu rühmen, Herr Major – und bin ein Bedienter, der – wenn |29| das Schlimmste zum Schlimmen kömmt, – für seinen Herrn betteln und stehlen kann.

v. TELLHEIM.
Just, wir bleiben nicht beysammen.

JUST.
Schon gut!

## NEUNTER AUFTRITT.

EIN BEDIENTER. V. TELLHEIM. JUST.

DER BEDIENTE.
Bst! Kammerad!

JUST.
Was giebts?

DER BEDIENTE.
Kann Er mir nicht den Officier nachweisen, der gestern noch in diesem Zimmer *(auf eines an der Seite zeigend, von welcher er herkömmt)* gewohnt hat?

JUST.
Das dürfte ich leicht können. Was bringt Er ihm?

DER BEDIENTE.
Was wir immer bringen, wenn wir nichts bringen; ein Kompliment. Meine Herrschaft hört, daß er durch sie verdrengt worden. Meine Herrschaft weiß zu leben, und ich soll ihn desfalls um Verzeihung bitten.

|30| JUST.
Nun so bitte Er ihn um Verzeihung; da steht er.

DER BEDIENTE.
5 Was ist er? Wie nennt man ihn?

v. TELLHEIM.
Mein Freund, ich habe Euern Auftrag schon gehört. Es ist eine überflüssige Höflichkeit von Eurer Herrschaft, die
10 ich erkenne, wie ich soll. Macht ihr meinen Empfehl. – Wie heißt Eure Herrschaft? –

DER BEDIENTE.
Wie sie heißt? Sie läßt sich gnädiges Fräulein heissen.
15

v. TELLHEIM.
Und ihr Familienname?

DER BEDIENTE.
20 Den habe ich noch nicht gehört, und darnach zu fragen, ist meine Sache nicht. Ich richte mich so ein, daß ich, meistentheils aller sechs Wochen, eine neue Herrschaft habe. Der Henker behalte alle ihre Namen! –

25 JUST.
Bravo, Kammerad! –

DER BEDIENTE.
Zu dieser bin ich erst vor wenig Tagen in Dresden gekom-
30 men. Sie sucht, glaube ich, hier ihren Bräutigam. –

|31| v. TELLHEIM.
Genug, mein Freund. Den Namen Eurer Herrschaft wollte ich wissen; aber nicht ihre Geheimnisse. Geht nur!

5 DER BEDIENTE.
Kammerad, das wäre kein Herr für mich!

## ZEHNTER AUFTRITT.

10 v. TELLHEIM. JUST.

v. TELLHEIM.
Mache, Just, mache, daß wir aus diesem Hause kommen! Die Höflichkeit der fremden Dame ist mir empfindlicher,
15 als die Grobheit des Wirths. Hier nimm diesen Ring; die einzige Kostbarkeit, die mir übrig ist; von der ich nie geglaubt hätte, einen solchen Gebrauch zu machen! – Versetze ihn! laß dir achtzig Friedrichsdor darauf geben; die Rechnung des Wirths kann keine dreyßig betragen.
20 Bezahle ihn, und räume meine Sachen – Ja, wohin? – Wohin du willst. Der wohlfeilste Gasthof der beste. Du sollst mich hier neben an, auf dem Kaffeehause, treffen. Ich gehe, mache deine Sache gut. –

25 |32| JUST.
Sorgen Sie nicht, Herr Major! –

v. TELLHEIM. *(kömmt wieder zurück)*
Vor allen Dingen, daß meine Pistolen, die hinter dem
30 Bette gehangen, nicht vergessen werden.

JUST.
Ich will nichts vergessen.

V. TELLHEIM. *(kömmt nochmals zurück)*
5 Noch eins; nimm mir auch deinen Budel mit; hörst du, Just! –

## EILFTER AUFTRITT.
10 JUST.

Der Budel wird nicht zurück bleiben. Dafür laß ich den Budel sorgen. – Hm! auch den kostbaren Ring hat der Herr noch gehabt? Und trug ihn in der Tasche, anstatt am
15 Finger? – Guter Wirth, wir sind so kahl noch nicht, als wir scheinen. Bey ihm, bey ihm selbst will ich dich versetzen, schönes Ringelchen! Ich weiß, er ärgert sich, daß du in seinem Hause nicht ganz sollst verzehrt werden! – Ah –

20 |33|

## ZWÖLFTER AUFTRITT.
PAUL WERNER. JUST.

JUST.
25 Sieh da, Werner! guten Tag, Werner! willkommen in der Stadt!

WERNER.
Das verwünschte Dorf! Ich kanns unmöglich wieder
30 gewohne werden. Lustig, Kinder, lustig; ich bringe frisches Geld! Wo ist der Major?

JUST.
Er muß dir begegnet seyn; er gieng eben die Treppe herab.

WERNER.
Ich komme die Hintertreppe herauf. Nun wie gehts ihm? Ich wäre schon vorige Woche bey euch gewesen, aber –

JUST.
Nun? was hat dich abgehalten? –

WERNER.
– Just, – hast du von dem Prinzen Heraklius gehört?

JUST.
Heraklius? Ich wüßte nicht.

WERNER.
Kennst du den großen Helden im Morgenlande nicht?

JUST.
Die Weisen aus dem Morgenlande kenn ich wohl, die ums Neujahr mit dem Sterne herumlauffen. – –

|34| WERNER.
Mensch, ich glaube, du liesest eben so wenig die Zeitungen, als die Bibel? – Du kennst den Prinz Heraklius nicht? den braven Mann nicht, der Persien weggenommen, und nächster Tage die ottomannische Pforte einsprengen wird? Gott sey Dank, daß doch noch irgendwo in der Welt Krieg ist! Ich habe lange genug gehoft, es sollte hier wieder losgehen. Aber da sitzen sie, und heilen sich die

Haut. Nein, Soldat war ich, Soldat muß ich wieder seyn! Kurz, – *(indem er sich schüchtern umsieht, ob ihn jemand behorcht)* im Vertrauen, Just; ich wandere nach Persien, um unter Sr. Königlichen Hoheit, dem Prinzen Heraklius, ein
5 Paar Feldzüge wider den Türken zu machen.

JUST.
Du?

10 WERNER.
Ich, wie du mich hier siehst! Unsere Vorfahren zogen fleißig wider den Türken; und das sollten wir noch thun, wenn wir ehrliche Kerls, und gute Christen wären. Freylich begreiffe ich wohl, daß ein Feldzug wider den
15 Türken nicht halb so lustig seyn kann, als einer wider den Franzosen; aber dafür muß er auch desto verdienst|35|licher seyn, in diesem und in jenem Leben. Die Türken haben dir alle Säbels, mit Diamanten besetzt –

20 JUST.
Um mir von so einem Säbel den Kopf spalten zu lassen, reise ich nicht eine Meile. Du wirst doch nicht toll seyn, und dein schönes Schulzengerichte verlassen? –

25 WERNER.
O, das nehme ich mit! – Merkst du was? – Das Gütchen ist verkauft –

JUST.
30 Verkauft?

WERNER.
St! – hier sind hundert Dukaten, die ich gestern auf den Kauf bekommen; die bring ich dem Major –

JUST.
Und was soll der damit?

WERNER.
Was er damit soll? Verzehren soll er sie; verspielen, vertrinken, ver – wie er will. Der Mann muß Geld haben, und es ist schlecht genug, daß man ihm das Seinige so sauer macht! Aber ich wüßte schon, was ich thäte, wenn ich an seiner Stelle wäre! Ich dächte: hohl euch hier alle der Henker; und gienge mit Paul Wernern, nach Persien! – Blitz! – der Prinz Heraklius muß ja wohl von dem Major Tellheim gehört |36| haben; wenn er auch schon seinen gewesenen Wachmeister, Paul Wernern, nicht kennt. Unsere Affaire bey den Katzenhäusern –

JUST.
Soll ich dir die erzählen? –

WERNER.
Du mir? – Ich merke wohl, daß eine schöne Disposition über deinen Verstand geht. Ich will meine Perlen nicht vor die Säue werffen. – Da nimm die hundert Dukaten; gieb sie dem Major. Sage ihm: er soll mir auch die aufheben. Ich muß ietzt auf den Markt; ich habe zwey Winspel Rocken herein geschickt; was ich daraus löse, kann er gleichfalls haben. –

Just.
Werner, du meynest es herzlich gut; aber wir mögen dein Geld nicht. Behalte deine Dukaten, und deine hundert Pistolen kannst du auch unversohrt [unversehrt] wieder 5 bekommen, sobald als du willst. –

Werner.
So? hat denn der Major noch Geld?

10 Just.
Nein.

Werner.
Und wovon lebt ihr denn?

15

Just.
Wir lassen anschreiben, und wenn man nicht mehr anschreiben will, und uns zum Hause |37| herauswirft, so versetzen wir, was wir noch haben, und ziehen weiter. –
20 Höre nur, Paul; dem Wirthe hier müssen wir einen Possen spielen.

Werner.
Hat er dem Major was in den Weg gelegt? – Ich bin
25 dabey! –

Just.
Wie wärs, wenn wir ihm des Abends, wenn er aus der Tabagie kömmt, aufpaßten, und ihn brav durchprügelten? –

30

WERNER.
Des Abends? – aufpaßten? – ihre Zwey, einem? – Das ist nichts. –

JUST.
Oder, wenn wir ihm das Haus über dem Kopf ansteckten? –

WERNER.
Sengen und brennen? – Kerl, man hörts, daß du Packknecht gewesen bist, und nicht Soldat; – pfuy!

JUST.
Oder, wenn wir ihm seine Tochter zur Hure machten? Sie ist zwar verdammt häßlich –

WERNER.
O, da wird sies lange schon seyn! Und allenfalls brauchst du auch hierzu keinen Gehülfen. Aber was hast du denn? was giebts denn?

JUST.
Komm nur, du sollst dein Wunder hören!

|38| WERNER.
So ist der Teufel wohl hier gar los?

JUST.
Ja wohl; komm nur!

WERNER.
Desto besser! Nach Persien also, nach Persien!

*Ende des ersten Aufzugs.*

# Zweyter Aufzug.

## Erster Auftritt.

Minna von Barnhelm. Franciska. *(die Scene ist in dem Zimmer des Fräuleins.)*

10

Das Fräulein. *(im Negligee, nach ihrer Uhr sehend)*
Franciska, wir sind auch sehr früh aufgestanden. Die Zeit wird uns lang werden.

15 Franciska.
Wer kann in den verzweifelten großen Städten schlafen? Die Karossen, die Nachtwächter, die Trommeln, die Katzen, die Korporals – das hört nicht auf zu rasseln, zu schreyen, zu wirbeln, zu mauen, zu fluchen; gerade, als
20 ob die Nacht zu nichts weniger wäre, als zur Ruhe. – Eine Tasse Thee, gnädiges Fräulein? –

|39| Das Fräulein.
Der Thee schmeckt mir nicht. –

25

Franciska.
Ich will von unserer Schokolate machen lassen.

Das Fräulein.
30 Laß machen, für dich!

FRANCISKA.
Für mich? Ich wollte eben so gern für mich allein plaudern, als für mich allein trinken. – Freylich wird uns die Zeit so lang werden. – Wir werden, vor langer Weile, uns putzen müssen, und das Kleid versuchen, in welchem wir den ersten Sturm geben wollen.

DAS FRÄULEIN.
Was redest du von Stürmen, da ich bloß herkomme, die Haltung der Kapitulation zu fordern?

FRANCISKA.
Und der Herr Officier, den wir vertrieben, und dem wir das Kompliment darüber machen lassen; er muß auch nicht die feinste Lebensart haben; sonst hätte er wohl um die Ehre können bitten lassen, uns seine Aufwartung machen zu dürfen. –

DAS FRÄULEIN[.]
Es sind nicht alle Officiere Tellheims. Die Wahrheit zu sagen, ich ließ ihm das Kompliment auch blos machen, um Gelegen|40|heit zu haben, mich nach diesem bey ihm zu erkundigen. – Franciska, mein Herz sagt es mir, daß meine Reise glücklich seyn wird, daß ich ihn finden werde. –

FRANCISKA.
Das Herz, gnädiges Fräulein? Man traue doch ja seinem Herzen nicht zu viel. Das Herz redet uns gewaltig gern nach dem Maule. Wenn das Maul eben so geneigt wäre, nach dem Herzen zu reden, so wäre die Mode längst aufgekommen, die Mäuler unterm Schloße zu tragen.

DAS FRÄULEIN.
Ha! ha! mit deinen Mäulern unterm Schlosse! Die Mode wäre mir eben recht!

5 FRANCISKA.
Lieber die schönsten Zähne nicht gezeigt, als alle Augenblicke das Herz darüber springen lassen!

DAS FRÄULEIN.
10 Was? bist du so zurückhaltend? –

FRANCISKA.
Nein, gnädiges Fräulein; sondern ich wollte es gern mehr seyn. Man spricht selten von der Tugend, die man hat;
15 aber desto öftrer von der, die uns fehlt.

|41| DAS FRÄULEIN.
Siehst du, Franciska? da hast du eine sehr gute Anmerkung gemacht. –
20

FRANCISKA.
Gemacht? macht man das, was einem so einfällt? –

DAS FRÄULEIN.
25 Und weißt du, warum ich eigentlich diese Anmerkung so gut finde? Sie hat viel Beziehung auf meinen Tellheim.

FRANCISKA.
Was hätte bey Ihnen nicht auch Beziehung auf ihn?
30

DAS FRÄULEIN.
Freund und Feind sagen, daß er der tapferste Mann von der Welt ist. Aber wer hat ihn von Tapferkeit jemals reden hören? Er hat das rechtschaffenste Herz, aber Rechtschaffenheit und Edelmuth sind Worte, die er nie auf die Zunge bringt.

FRANCISKA.
Von was für Tugenden spricht er denn?

DAS FRÄULEIN.
Er spricht von keiner; denn ihm fehlt keine.

FRANCISKA.
Das wollte ich nur hören.

DAS FRÄULEIN.
Warte, Franciska; ich besinne mich. Er spricht sehr oft von Oekonomie. Im |42| Vertrauen, Franciska; ich glaube, der Mann ist ein Verschwender.

FRANCISKA.
Noch eins, gnädiges Fräulein. Ich habe ihn auch sehr oft der Treue und Beständigkeit gegen Sie erwähnen hören. Wie, wenn der Herr auch ein Flattergeist wäre?

DAS FRÄULEIN.
Du Unglückliche! – Aber meynest du das im Ernste, Franciska?

FRANCISKA.
Wie lange hat er Ihnen nun schon nicht geschrieben?

DAS FRÄULEIN.
Ach! seit dem Frieden hat er mir nur ein einzigesmal geschrieben.

5 FRANCISKA.
Auch ein Seufzer wider den Frieden! Wunderbar! der Friede sollte nur das Böse wieder gut machen, das der Krieg gestiftet, und er zerrüttet auch das Gute, was dieser sein Gegenpart etwa noch veranlasset hat. Der Friede sollte
10 so eigensinnig nicht seyn! – Und wie lange haben wir schon Friede? Die Zeit wird einem gewaltig lang, wenn es so wenig Neuigkeiten giebt. – Umsonst gehen die Posten wieder richtig; niemand schreibt; denn niemand hat was zu schreiben.

15

|43| DAS FRÄULEIN.
Es ist Friede, schrieb er mir, und ich nähere mich der Erfüllung meiner Wünsche. – Aber, daß er mir dieses nur ein einzigesmal geschrieben –

20

FRANCISKA.
Daß er uns zwingt, dieser Erfüllung der Wünsche selbst entgegen zu eilen: finden wir ihn nur; das soll er uns entgelten! – Wenn indeß der Mann doch Wünsche erfüllt
25 hätte, und wir erführen hier –

DAS FRÄULEIN. *(ängstlich und hitzig)*
Daß er tod wäre?

30 FRANCISKA.
Für Sie, gnädiges Fräulein; in den Armen einer andern. –

DAS FRÄULEIN.
Du Quälgeist! Warte, Franciska, er soll dir es gedenken! – Doch schwatze nur; sonst schlafen wir wieder ein. – Sein Regiment ward nach dem Frieden zerrissen. Wer weiß, in welche Verwirrung von Rechnungen und Nachweisungen er dadurch gerathen? Wer weiß, zu welchem andern Regimente, in welche entlegne Provinz er versetzt worden? Wer weiß, welche Umstände – Es pocht jemand.

FRANCISKA.
Herein!

|44|

## ZWEYTER AUFTRITT.
DER WIRTH. DIE VORIGEN.

DER WIRTH. *(den Kopf voransteckend)*
Ist es erlaubt, meine gnädige Herrschaft? –

FRANCISKA.
Unser Herr Wirth? – Nur vollends herein.

DER WIRTH. *(mit einer Feder hinter dem Ohre, ein Blatt Papier und Schreibezeug in der Hand.)*
Ich komme, gnädiges Fräulein, Ihnen einen unterthänigen guten Morgen zu wünschen, – *(zur Franciska)* und auch Ihr, mein schönes Kind, –

FRANCISKA.
Ein höflicher Mann!

DAS FRÄULEIN.
Wir bedanken uns.

FRANCISKA.
Und wünschen Ihm auch einen guten Morgen.

DER WIRTH.
Darf ich mich unterstehen zu fragen, wie Ihro Gnaden die erste Nacht unter meinem schlechten Dache geruhet? –

FRANCISKA.
Das Dach ist so schlecht nicht, Herr Wirth; aber die Betten hätten können besser seyn.

|45| DER WIRTH.
Was höre ich? Nicht wohl geruht? Vielleicht, daß die gar zu große Ermüdung von der Reise –

DAS FRÄULEIN.
Es kann seyn.

DER WIRTH.
Gewiß, gewiß! denn sonst – Indeß sollte etwas nicht vollkommen nach Ihro Gnaden Bequemlichkeit gewesen seyn, so geruhen Ihro Gnaden, nur zu befehlen.

FRANCISKA.
Gut, Herr Wirth, gut! Wir sind auch nicht blöde; und am wenigsten muß man im Gasthofe blöde seyn. Wir wollen schon sagen, wie wir es gern hätten.

DER WIRTH.
Hiernächst komme ich zugleich – *(indem er die Feder hinter dem Ohre hervorzieht)*

FRANCISKA.
Nun? –

DER WIRTH.
Ohne Zweifel kennen Ihro Gnaden schon die weisen Verordnungen unsrer Policey –

DAS FRÄULEIN.
Nicht im geringsten, Herr Wirth –

DER WIRTH.
Wir Wirthe sind angewiesen, keinen Fremden, weß Standes und Geschlechts er auch sey, vier und zwanzig Stunden zu behausen, ohne seinen Namen, Heymath, Charackter, |46| hiesige Geschäfte, vermuthliche Dauer des Aufenthalts, und so weiter, gehörigen Orts schriftlich einzureichen.

DAS FRÄULEIN.
Sehr wohl.

DER WIRTH.
Ihro Gnaden werden also Sich gefallen lassen – *(indem er an einen Tisch tritt, und sich fertig macht, zu schreiben)*

DAS FRÄULEIN.
Sehr gern. – Ich heiße –

DER WIRTH.
Einen kleinen Augenblick Geduld! – *(er schreibt)* „Dato, den 22. August a.c. allhier zum Könige von Spanien angelangt“ – Nun Dero Namen, gnädiges Fräulein.

5

DAS FRÄULEIN.
Das Fräulein von Barnhelm.

DER WIRTH. *(schreibt)*
10 „von Barnhelm“ – Kommend? woher, gnädiges Fräulein?

DAS FRÄULEIN.
Von meinen Gütern aus Sachsen.

15 DER WIRTH. *(schreibt)*
„Gütern aus Sachsen.“ – Aus Sachsen! Ey, ey, aus Sachsen, gnädiges Fräulein? aus Sachsen?

FRANCISKA.
20 Nun? warum nicht? Es ist doch wohl hier zu Lande keine Sünde, aus Sachsen zu seyn?

|47| DER WIRTH.
Eine Sünde? behüte! das wäre ja eine ganz neue Sünde! –
25 Aus Sachsen also? Ey, ey! aus Sachsen! das liebe Sachsen! – Aber wo mir recht ist, gnädiges Fräulein, Sachsen ist nicht klein, und hat mehrere, – wie soll ich es nennen? – Districkte, Provinzen – Unsere Policey ist sehr exackt, gnädiges Fräulein. –

30

DAS FRÄULEIN.
Ich verstehe: von meinen Gütern aus Thüringen also.

DER WIRTH.
5 Aus Thüringen! Ja, das ist besser, gnädiges Fräulein, das ist genauer. – *(schreibt und ließt)* „Das Fräulein von Barnhelm, kommend von ihren Gütern aus Thüringen, nebst einer Kammerfrau und zwey Bedienten" –

10 FRANCISKA.
Einer Kammerfrau? das soll ich wohl seyn?

DER WIRTH.
Ja, mein schönes Kind. –

15

FRANCISKA.
Nun, Herr Wirth, so setzen Sie anstatt Kammerfrau, Kammerjungfer. – Ich höre, die Policey ist sehr exackt; es möchte ein Mißverständniß geben, welches mir bey
20 meinem Aufgebothe einmal Händel machen könnte. Denn ich bin wirklich noch Jungfer, und heiße Franciska; |48| mit dem Geschlechtsnamen, Willig; Franciska Willig. Ich bin auch aus Thüringen. Mein Vater war Müller auf einem von den Gütern des gnädigen Fräuleins. Es heißt
25 klein Rammsdorf. Die Mühle hat ietzt mein Bruder. Ich kam sehr jung auf den Hof, und ward mit dem gnädigen Fräulein erzogen. Wir sind von einem Alter; künftige Lichtmeß ein und zwanzig Jahr. Ich habe alles gelernt, was das gnädige Fräulein gelernt hat. Es soll mir lieb seyn,
30 wenn mich die Policey recht kennt.

DER WIRTH.
Gut, mein schönes Kind; das will ich mir auf weitere Nachfrage merken. – Aber nunmehr, gnädiges Fräulein, Dero Verrichtungen allhier? –

5

DAS FRÄULEIN.
Meine Verrichtungen?

DER WIRTH.
10 Suchen Ihro Gnaden etwas bey des Königs Majestät?

DAS FRÄULEIN.
O, nein!

15 DER WIRTH.
Oder bey unsern hohen Justitz kollegiis?

DAS FRÄULEIN.
Auch nicht.

20

DER WIRTH.
Oder –

|49| DAS FRÄULEIN.
25 Nein, nein. Ich bin lediglich in meinen eigenen Angelegenheiten hier.

DER WIRTH[.]
Ganz wohl, gnädiges Fräulein; aber wie nennen sich diese
30 eigne Angelegenheiten?

DAS FRÄULEIN.
Sie nennen sich – Franciska, ich glaube wir werden vernommen.

5 FRANCISKA.
Herr Wirth, die Policey wird doch nicht die Geheimnisse eines Frauenzimmers zu wissen verlangen?

DER WIRTH.
10 Allerdings, mein schönes Kind: die Policey will alles wissen; und besonders Geheimnisse.

FRANCISKA.
Ja nun, gnädiges Fräulein; was ist zu thun? – So hören Sie
15 nur, Herr Wirth; – aber daß es ja unter uns und der Policey bleibt! –

DAS FRÄULEIN.
Was wird ihm die Närrinn sagen?
20

FRANCISKA.
Wir kommen, dem Könige einen Officier wegzukapern –

DER WIRTH.
25 Wie? was? Mein Kind! mein Kind! –

|50| FRANCISKA.
Oder uns von dem Officiere kapern zu lassen. Beides ist eins.

30

DAS FRÄULEIN.
Franciska, bist du toll? – Herr Wirth, die Nasenweise hat Sie zum besten. –

5 DER WIRTH.
Ich will nicht hoffen! Zwar mit meiner Wenigkeit kann sie scherzen so viel, wie sie will; nur mit einer hohen Policey –

10 DAS FRÄULEIN.
Wissen Sie was, Herr Wirth? – Ich weiß mich in dieser Sache nicht zu nehmen. Ich dächte, Sie ließen die ganze Schreiberey bis auf die Ankunft meines Oheims. Ich habe Ihnen schon gestern gesagt, warum er nicht mit mir
15 zugleich angekommen. Er verunglückte, zwey Meilen von hier, mit seinem Wagen; und wollte durchaus nicht, daß mich dieser Zufall eine Nacht mehr kosten sollte. Ich mußte also voran. Wenn er vier und zwanzig Stunden nach mir eintrifft, so ist es das Längste.
20

DER WIRTH.
Nun ja, gnädiges Fräulein, so wollen wir ihn erwarten.

DAS FRÄULEIN.
25 Er wird auf Ihre Fragen besser antworten können. Er wird wissen, wem, und wie weit er sich zu entdecken hat; was er von |51| seinen Geschäften anzeigen muß, und was er davon verschweigen darf.

30 DER WIRTH.
Desto besser! Freylich, freylich kann man von einem

jungen Mädchen *(die Franciska mit einer bedeutenden Miene ansehend)* nicht verlangen, daß es eine ernsthafte Sache, mit ernsthaften Leuten, ernsthaft tracktire –

5 DAS FRÄULEIN.
Und die Zimmer für ihn, sind doch in Bereitschaft, Herr Wirth?

DER WIRTH.
10 Völlig, gnädiges Fräulein, völlig; bis auf das eine –

FRANCISKA.
Aus dem Sie vielleicht auch noch erst einen ehrlichen Mann vertreiben müssen?

15

DER WIRTH.
Die Kammerjungfern aus Sachsen, gnädiges Fräulein, sind wohl sehr mitleidig. –

20 DAS FRÄULEIN.
Doch, Herr Wirth; das haben Sie nicht gut gemacht. Lieber hätten Sie uns nicht einnehmen sollen.

DER WIRTH.
25 Wie so, gnädiges Fräulein, wie so?

DAS FRÄULEIN.
Ich höre, daß der Officier, welcher durch uns verdrengt worden –

30

|52| DER WIRTH.
Ja nur ein abgedankter Officier ist, gnädiges Fräulein. –

DAS FRÄULEIN.
5 Wenn schon! –

DER WIRTH.
Mit dem es zu Ende geht. –

10 DAS FRÄULEIN.
Desto schlimmer! Es soll ein sehr verdienter Mann seyn.

DER WIRTH.
Ich sage Ihnen ja, daß er abgedankt ist.
15
DAS FRÄULEIN.
Der König kann nicht alle verdiente Männer kennen.

DER WIRTH.
20 O gewiß, er kennt sie, er kennt sie alle. –

DAS FRÄULEIN.
So kann er sie nicht alle belohnen.

25 DER WIRTH.
Sie wären alle belohnt, wenn sie darnach gelebt hätten. Aber so lebten die Herren, währendes Krieges, als ob ewig Krieg bleiben würde; als ob das Dein und Mein ewig aufgehoben seyn würde. Jetzt liegen alle Wirthshäuser
30 und Gasthöfe von ihnen voll; und ein Wirth hat sich wohl mit ihnen in Acht zu nehmen. Ich bin mit diesem noch

so ziemlich weggekommen. Hatte er gleich kein Geld mehr, so |53| hatte er doch noch Geldes werth; und zwey, drey Monate hätte ich ihn freylich noch ruhig ko[ö]nnen sitzen lassen. Doch besser ist besser. – A propos, gnädiges
5 Fräulein; Sie verstehen Sich doch auf Juwelen? –

DAS FRÄULEIN.
Nicht sonderlich.

10 DER WIRTH.
Was sollten Ihro Gnaden nicht? – Ich muß Ihnen einen Ring zeigen, einen kostbaren Ring. Zwar gnädiges Fräulein, haben da auch einen sehr schönen am Finger, und je mehr ich ihn betrachte, je mehr muß ich mich wundern,
15 daß er dem meinigen so ähnlich ist. – O! sehen Sie doch, sehen Sie doch! *(indem er ihn aus dem Futteral heraus nimmt, und der [dem] Fräulein zureicht)* Welch ein Feuer! der mittelste Brillant allein, wiegt über fünf Karat.

20 DAS FRÄULEIN. *(ihn betrachtend)*
Wo bin ich? – Was seh ich? Dieser Ring –

DER WIRTH.
Ist seine funfzehnhundert Thaler unter Brüdern werth.
25

DAS FRÄULEIN.
Franciska! – Sieh doch! –

DER WIRTH.
30 Ich habe mich auch nicht einen Augenblick bedacht, achtzig Pistolen darauf zu leihen.

|54| DAS FRÄULEIN.
Erkennst du ihn nicht, Franciska?

FRANCISKA.
5 Der nehmliche! – Herr Wirth, wo haben Sie diesen Ring her? –

DER WIRTH.
Nun, mein Kind? Sie hat doch wohl kein Recht daran?

10

FRANCISKA.
Wir kein Recht an diesem Ringe? – Innwerts auf dem Kasten muß der Fräulein verzogner Name stehn. – Weisen Sie doch, Fräulein.

15

DAS FRÄULEIN.
Er ists, er ists! – Wie kommen Sie zu diesem Ringe, Herr Wirth?

DER WIRTH.
20 Ich? auf die ehrlichste Weise von der Welt. – Gnädiges Fräulein, gnädiges Fräulein, Sie werden mich nicht in Schaden und Unglück bringen wollen? Was weiß ich, wo sich der Ring eigentlich herschreibt? Währendes Krieges hat manches seinen Herrn, sehr oft, mit und ohne Vorbe-
25 wußt des Herrn, verändert. Und Krieg war Krieg. Es werden mehr Ringe aus Sachsen über die Grenze gegangen seyn. – Geben Sie mir ihn wieder, gnädiges Fräulein, geben Sie mir ihn wieder!

30 |55| FRANCISKA.
Erst geantwortet: von wem haben Sie ihn?

DER WIRTH.
Von einem Manne, dem ich so was nicht zutrauen kann; von einem sonst guten Manne –

5 DAS FRÄULEIN.
Von dem besten Manne unter der Sonne, wenn Sie ihn von seinem Eigenthümer haben. – Geschwind bringen Sie mir den Mann! Er ist es selbst, oder wenigstens muß er ihn kennen.

10

DER WIRTH.
Wer denn? wen denn, gnädiges Fräulein?

FRANCISKA.
15 Hören Sie denn nicht? unsern Major.

DER WIRTH.
Major? Recht, er ist Major, der dieses Zimmer vor Ihnen bewohnt hat, und von dem ich ihn habe.

20

DAS FRÄULEIN.
Major von Tellheim?

DER WIRTH.
25 Von Tellheim; ja! Kennen Sie ihn?

DAS FRÄULEIN.
Ob ich ihn kenne? Er ist hier? Tellheim ist hier? Er? er hat in diesem Zimmer gewohnt? Er! er hat Ihnen diesen
30 Ring |56| versetzt? Wie kömmt der Mann in diese Verlegenheit? Wo ist er? Er ist Ihnen schuldig? – – Francis-

ka, die Schatulle her! Schließ auf! *(indem sie Franciska auf den Tisch setzet, und öfnet)* Was ist er Ihnen schuldig? Wem ist er mehr schuldig? Bringen Sie mir alle seine Schuldner. Hier ist Geld. Hier sind Wechsel. Alles ist
5 sein!

DER WIRTH.
Was höre ich?

10 DAS FRÄULEIN.
Wo ist er? wo ist er?

DER WIRTH.
Noch vor einer Stunde war er hier.

15
DAS FRÄULEIN.
Häßlicher Mann, wie konnten Sie gegen ihn so unfreundlich, so hart, so grausam seyn?

20 DER WIRTH.
Ihro Gnaden verzeihen –

DAS FRÄULEIN.
Geschwind, schaffen Sie mir ihn zur Stelle.

25
DER WIRTH.
Sein Bedienter ist vielleicht noch hier. Wollen Ihro Gnaden, daß er ihn aufsuchen soll?

30 DAS FRÄULEIN.
Ob ich will? Eilen Sie, laufen Sie; für diesen Dienst allein,

will ich es |57| vergessen, wie schlecht Sie mit ihm umgegangen sind. –

FRANCISKA.
5 Fix, Herr Wirth, hurtig, fort, fort! *(stößt ihn heraus)*

## DRITTER AUFTRITT.
DAS FRÄULEIN. FRANCISKA.

10

DAS FRÄULEIN.
Nun habe ich ihn wieder, Franciska! Siehst du, nun habe ich ihn wieder! Ich weiß nicht, wo ich vor Freuden bin! Freue dich doch mit, liebe Franciska. Aber freylich,
15 warum du? Doch du sollst dich, du mußt dich mit mir freuen. Komm, Liebe, ich will dich beschenken, damit du dich mit mir freuen kannst. Sprich, Franciska, was soll ich dir geben? Was steht dir von meinen Sachen an? Was hättest du gern? Nimm, was du willst; aber freue dich nur.
20 Ich sehe wohl, du wirst dir nichts nehmen. Warte! *(sie faßt in die Schatulle)* da, liebe Franciska; *(und giebt ihr Geld)* kauffe dir, was du gern hättest. Fordere mehr, wenn es nicht zulangt. |58| Aber freue dich nur mit mir. Es ist so traurig, sich allein zu freuen. Nun, so nimm doch –

25

FRANCISKA.
Ich stehle es Ihnen, Fräulein; Sie sind trunken, von Fröhlichkeit trunken. –

30 DAS FRÄULEIN.
Mädchen, ich habe einen zänkischen Rausch, nimm, oder –

*(sie zwingt ihr das Geld in die Hand)* Und wenn du dich bedankest! – Warte; gut, daß ich daran denke. *(sie greift nochmals in die Schatulle nach Geld)* Das, liebe Franciska, stecke bey Seite; für den ersten blessirten armen Soldaten, der uns anspricht. –

5

## VIERTER AUFTRITT.

DER WIRTH. DAS FRÄULEIN. FRANCISKA.

10 DAS FRÄULEIN.
Nun? wird er kommen?

DER WIRTH.
Der widerwärtige, ungeschliffene Kerl!

15

DAS FRÄULEIN.
Wer?

DER WIRTH.
20 Sein Bedienter. Er weigert sich, nach ihm zu gehen.

|59| FRANCISKA.
Bringen Sie doch den Schurken her. – Des Majors Bediente kenne ich ja wohl alle. Welcher wäre denn das?

25

DAS FRÄULEIN.
Bringen Sie ihn geschwind her. Wenn er uns sieht, wird er schon gehen.

30 *(Der Wirth geht ab.)*

## Fünfter Auftritt.
Das Fräulein. Franciska.

Das Fräulein.
5 Ich kann den Augen[b]lick nicht erwarten. Aber, Francis-ka, du bist noch immer so kalt? Du willst dich noch nicht mit mir freuen?

Franciska.
10 Ich wollte von Herzen gern; wenn nur –

Das Fräulein.
Wenn nur?

15 Franciska.
Wir haben den Mann wiedergefunden; aber wie haben wir ihn wiedergefunden? Nach allem, was wir von ihm hören, muß es ihm übel gehn. Er muß unglücklich seyn. Das jammert mich.

20

|60| Das Fräulein.
Jammert dich? – Laß dich dafür umarmen, meine liebste Gespielinn! Das will ich dir nie vergessen! – Ich bin nur verliebt, und du bist gut. –

25

## Sechster Auftritt.
Der Wirth. Just. Die Vorigen.

30 Der Wirth.
Mit genauer Noth bring ich ihn.

FRANCISKA.
Ein fremdes Gesicht! Ich kenne ihn nicht.

DAS FRÄULEIN.
5 Mein Freund, ist Er bey dem Major von Tellheim?

JUST.
Ja.

10 DAS FRÄULEIN.
Wo ist Sein Herr?

JUST.
Nicht hier.

15

DAS FRÄULEIN.
Aber Er weiß ihn zu finden?

JUST.
20 Ja.

DAS FRÄULEIN.
Will Er ihn nicht geschwind herhohlen?

25 JUST.
Nein.

DAS FRÄULEIN.
Er erweiset mir damit einen Gefallen. –

30

|61| JUST.
Ey!

DAS FRÄULEIN.
5 Und seinem Herrn einen Dienst. –

JUST.
Vielleicht auch nicht. –

10 DAS FRÄULEIN.
Woher vermuthet Er das?

JUST.
Sie sind doch die fremde Herrschaft, die ihn diesen
15 Morgen komplimentiren lassen?

DAS FRÄULEIN.
Ja.

20 JUST.
So bin ich schon recht.

DAS FRÄULEIN.
Weiß Sein Herr meinen Namen?

25

JUST.
Nein; aber er kann die allzu höflichen Damen eben so
wenig leiden, als die allzu groben Wirthe.

30 DER WIRTH.
Das soll wohl mit auf mich gehn?

JUST.
Ja.

DER WIRTH.
5 So laß Er es doch dem gnädigen Fräulein nicht entgelten; und hole Er ihn geschwind her.

DAS FRÄULEIN. *(zur Franciska)*
Franciska, gieb ihm etwas –

10

|62| FRANCISKA. *(die dem Just Geld in die Hand drücken will)*
Wir verlangen Seine Dienste nicht umsonst. –

JUST.
15 Und ich Ihr Geld nicht ohne Dienste.

FRANCISKA.
Eines für das andere. –

20 JUST.
Ich kann nicht. Mein Herr hat mir befohlen, auszuräumen. Das thu ich ietzt, und daran, bitte ich, mich nicht weiter zu verhindern. Wenn ich fertig bin, so will ich es ihm ja wohl sagen, daß er herkommen kann. Er ist neben
25 an auf dem Kaffeehause; und wenn er da nichts bessers zu thun findet, wird er auch wohl kommen. *(will fortgehen)*

FRANCISKA.
So warte Er doch. – Das gnädige Fräulein ist des Herrn
30 Majors – Schwester. –

DAS FRÄULEIN.
Ja, ja, seine Schwester.

JUST.
Das weiß ich besser, daß der Major keine Schwestern hat. Er hat mich in sechs Monaten zweymal an seine Familie nach Churland geschickt. – Zwar es giebt mancherley Schwestern –

|63| FRANCISKA.
Unverschämter!

JUST.
Muß man es nicht seyn, wenn einen die Leute sollen gehn lassen? *(geht ab.)*

FRANCISKA.
Das ist ein Schlingel!

DER WIRTH.
Ich sagt es ja. Aber lassen Sie ihn nur! Weiß ich doch nunmehr, wo sein Herr ist. Ich will ihn gleich selbst hohlen. – Nur, gnädiges Fräulein, bitte ich unterthänigst, sodann ja mich bey dem Herrn Major zu entschuldigen, daß ich so unglücklich gewesen, wider meinen Willen, einen Mann von seinen Verdiensten –

DAS FRÄULEIN.
Gehen Sie nur geschwind, Herr Wirth. Das will ich alles wieder gut machen. *(der Wirth geht ab, und hierauf)* Franciska, lauf ihm nach: er soll ihm meinen Namen nicht nennen! *(Franciska, dem Wirthe nach)*

## SIEBENDER AUFTRITT.
DAS FRÄULEIN. *und hierauf* FRANCISKA.

DAS FRÄULEIN.
5 Ich habe ihn wieder! – Bin ich allein? – Ich will nicht umsonst allein seyn. *(sie faltet die Hände)* Auch bin ich nicht allein! *(und blickt aufwärts)* Ein einziger dankbarer Ge-|64|danke gen Himmel ist das willkommenste Gebet! – Ich hab ihn, ich hab ihn! *(mit ausgebreiteten Armen.)* Ich bin
10 glücklich! und fröhlich! Was kann der Schöpfer lieber sehen, als ein fröhliches Geschöpf! – *(Franciska kömmt)* Bist du wieder da, Franciska? – Er jammert dich? Mich jammert er nicht. Unglück ist auch gut. Vielleicht, daß ihm der Himmel alles nahm, um ihm in mir alles wieder zu
15 geben!

FRANCISKA.
Er kann den Augenblick hier seyn. – Sie sind noch in ihrem [Ihrem] Negligee, gnädiges Fräulein. Wie, wenn
20 Sie Sich geschwind ankleideten?

DAS FRÄULEIN.
Geh! ich bitte dich. Er wird mich von nun an öftrer so, als geputzt sehen.

25

FRANCISKA.
O, Sie kennen Sich, mein Fräulein.

DAS FRÄULEIN. *(nach einem kurzen Nachdenken)*
30 Wahrhaftig, Mädchen, du hast es wiederum getroffen.

FRANCISKA.
Wenn wir schön sind, sind wir ungeputzt am schönsten.

DAS FRÄULEIN.
5 Müssen wir denn schön seyn? – Aber, daß wir uns schön glauben, war vielleicht |65| nothwendig. – Nein, wenn ich ihm, ihm nur schön bin! – Franciska, wenn alle Mädchens so sind, wie ich mich ietzt fühle, so sind wir – sonderbare Dinger .. – Zärtlich und stolz, tugendhaft und eitel, wollüstig und fromm
10 – Du wirst mich nicht verstehen. Ich verstehe mich wohl selbst nicht. – Die Freude macht drehend, wirblicht –

FRANCISKA.
Fassen Sie Sich, mein Fräulein; ich höre kommen –
15

DAS FRÄULEIN.
Mich fassen? Ich sollte ihn ruhig empfangen?

20 ACHTER AUFTRITT.
v. TELLHEIM. DER WIRTH. DIE VORIGEN.

v. TELLHEIM. *(tritt herein, und indem er sie erblickt, flieht er auf sie zu)* Ah! meine Minna! –
25

DAS FRÄULEIN. *(ihm entgegen fliehend)*
Ah! mein Tellheim! –

v. TELLHEIM. *(stutzt auf einmal, und tritt wieder zurück)*
30 Verzeihen Sie, gnädiges Fräulein, – das Fräulein von Barnhelm hier zu finden –

DAS FRÄULEIN.
Kann Ihnen doch so gar unerwartet nicht seyn? – *(indem sie ihm näher tritt, und |66| er mehr zurück weicht)* Ich soll Ihnen verzeihen, daß ich noch Ihre Minna bin? Verzeih Ihnen der
5 Himmel, daß ich noch das Fräulein von Barnhelm bin! –

v. TELLHEIM.
Gnädiges Fräulein – *(sieht starr auf den Wirth, und zuckt die Schultern)*
10

DAS FRÄULEIN. *(wird den Wirth gewahr, und winkt der Franciska)*
Mein Herr, –

v. TELLHEIM.
15 Wenn wir uns beiderseits nicht irren –

FRANCISKA.
Je, Herr Wirth, wen bringen Sie uns denn da? Geschwind kommen Sie, lassen Sie uns den rechten suchen.
20

DER WIRTH.
Ist es nicht der rechte? Ey ja doch!

FRANCISKA.
25 Ey nicht doch! Geschwind kommen Sie; ich habe Ihrer Jungfer Tochter noch keinen guten Morgen gesagt.

DER WIRTH.
O! viel Ehre – *(doch ohne von der Stelle zu gehn)*
30

FRANCISKA. *(faßt ihn an)*
Kommen Sie, wir wollen den Küchenzettel machen. – Lassen Sie sehen, was wir haben werden –

5 |67| DER WIRTH.
Sie sollen haben; vors erste –

FRANCISKA.
Still, ja stille! Wenn das Fräulein ietzt schon weiß, was sie
10 zu Mittag speisen soll, so ist es um ihren Appetit geschehen. Kommen Sie, das müssen Sie mir allein sagen.
*(führet ihn mit Gewalt ab)*

15 ## NEUNTER AUFTRITT.

v. TELLHEIM. DAS FRÄULEIN.

DAS FRÄULEIN.
Nun? irren wir uns noch?

20

v. TELLHEIM.
Daß es der Himmel wollte! – Aber es giebt nur Eine, und Sie sind es. –

25 DAS FRÄULEIN.
Welche Umstände! Was wir uns zu sagen haben, kann jedermann hören.

v. TELLHEIM.
30 Sie hier? Was suchen Sie hier, gnädiges Fräulein?

DAS FRÄULEIN.
Nichts suche ich mehr. *(mit offnen Armen auf ihn zugehend)* Alles, was ich suchte, habe ich gefunden.

5 v. TELLHEIM. *(zurückweichend)*
Sie suchten einen glücklichen, einen Ihrer Liebe würdigen Mann; und finden – einen Elenden.

|68| DAS FRÄULEIN.
10 So lieben Sie mich nicht mehr? – Und lieben eine andere?

v. TELLHEIM.
Ah! der hat Sie nie geliebt, mein Fräulein, der eine andere nach Ihnen lieben kann.

15

DAS FRÄULEIN.
Sie reissen nur Einen Stachel aus meiner Seele. – Wenn ich Ihr Herz verloren habe, was liegt daran, ob mich Gleichgültigkeit oder mächtigere Reitze darum gebracht?
20 – Sie lieben mich nicht mehr: und lieben auch keine andere? – Unglücklicher Mann, wenn Sie gar nichts lieben! –

v. TELLHEIM.
25 Recht, gnädiges Fräulein; der Unglückliche muß gar nichts lieben. Er verdient sein Unglück, wenn er diesen Sieg nicht über sich selbst zu erhalten weiß; wenn er es sich gefallen lassen kann, daß die, welche er liebt, an seinem Unglück Antheil nehmen dürffen. – Wie schwer
30 ist dieser Sieg! – Seit dem mir Vernunft und Nothwendigkeit befehlen, Minna von Barnhelm zu vergessen: was

für Mühe habe ich angewandt! Eben wollte ich anfangen zu hoffen, daß diese Mühe nicht ewig vergebens seyn würde: – und Sie erscheinen, mein Fräulein! –

5 |69| DAS FRÄULEIN.
Versteh ich Sie recht? – Halten Sie, mein Herr; lassen Sie sehen, wo wir sind, ehe wir uns weiter verirren! – Wollen Sie mir die einzige Frage beantworten?

10 V. TELLHEIM.
Jede, mein Fräulein –

DAS FRÄULEIN.
Wollen Sie mir auch ohne Wendung, ohne Winkelzug
15 antworten? Mit nichts, als einem trocknen Ja, oder Nein?

V. TELLHEIM.
Ich will es, – wenn ich kann.

20 DAS FRÄULEIN.
Sie können es. – Gut: ohngeachtet der Mühe, die Sie angewendet, mich zu vergessen, – lieben Sie mich noch, Tellheim?

25 V. TELLHEIM.
Mein Fräulein, diese Frage –

DAS FRÄULEIN.
Sie haben versprochen, mit nichts, als Ja oder Nein zu
30 antworten.

v. TELLHEIM[.]
Und hinzugesetzt: wenn ich kann.

DAS FRÄULEIN.
5 Sie können; Sie müssen wissen, was in Ihrem Herzen vorgeht. – Lieben Sie mich noch, Tellheim? – Ja, oder Nein.

v. TELLHEIM.
10 Wenn mein Herz –

DAS FRÄULEIN.
Ja, oder Nein!

15 v. TELLHEIM.
Nun, Ja!

|70| DAS FRÄULEIN.
Ja?

20

v. TELLHEIM.
Ja, ja! – Allein –

DAS FRÄULEIN.
25 Geduld! – Sie lieben mich noch: genug für mich. – In was für einen Ton bin ich mit Ihnen gefallen! Ein widriger, melancholischer, ansteckender Ton. – Ich nehme den meinigen wieder an. – Nun, mein lieber Unglücklicher, Sie lieben mich noch, und haben Ihre Minna noch, und
30 sind unglücklich? Hören Sie doch, was Ihre Minna für ein eingebildetes, albernes Ding war, – ist. Sie ließ, sie läßt sich

träumen, Ihr ganzes Glück sey sie. – Geschwind kramen Sie Ihr Unglück aus. Sie mag versuchen, wie viel sie dessen aufwiegt. – Nun?

5 v. TELLHEIM.
Mein Fräulein, ich bin nicht gewohnt zu klagen.

DAS FRÄULEIN.
Sehr wohl. Ich wüßte auch nicht, was mir an einem Solda-
10 ten, nach dem Prahlen, weniger gefiele, als das Klagen. Aber es giebt eine gewisse kalte, nachläßige Art, von seiner Tapferkeit und von seinem Unglücke zu sprechen –

|71| v. TELLHEIM.
15 Die im Grunde doch auch geprahlt und geklagt ist.

DAS FRÄULEIN.
O, mein Rechthaber, so hätten Sie Sich auch gar nicht unglücklich nennen sollen. – Ganz geschwiegen, oder
20 ganz mit der Sprache heraus. – Eine Vernunft, eine Nothwendigkeit, die Ihnen mich zu vergessen befiehlt? – Ich bin eine große Liebhaberinn von Vernunft, ich habe sehr viel Ehrerbietung für die Nothwendigkeit. – Aber lassen Sie doch hören, wie vernünftig diese Vernunft, wie
25 nothwendig diese Nothwendigkeit ist.

v. TELLHEIM.
Wohl denn; so hören Sie, mein Fräulein. – Sie nennen mich Tellheim; der Name trift ein. – Aber Sie meynen,
30 ich sey der Tellheim, den Sie in Ihrem Vaterlande gekannt haben; der blühende Mann, voller Ansprüche, voller

Ruhmbegierde; der seines ganzen Körpers, seiner ganzen Seele mächtig war; vor dem die Schranken der Ehre und des Glückes eröffnet standen; der Ihres Herzens und Ihrer Hand, wann er schon ihrer noch nicht würdig war, täglich
5 würdiger zu werden hoffen durfte. – Dieser Tellheim |72| bin ich eben so wenig, – als ich mein Vater bin. Beide sind gewesen. – Ich bin Tellheim, der verabschiedete, der an seiner Ehre gekränkte, der Kriepel, der Bettler. – Jenem, mein Fräulein, versprachen Sie Sich; wollen Sie diesem
10 Wort halten? –

DAS FRÄULEIN.
Das klingt sehr tragisch! – Doch, mein Herr, bis ich jenen wieder finde, – in die Tellheims bin ich nun einmal
15 vernarret, – dieser wird mir schon aus der Noth helfen müssen. – Deine Hand, lieber Bettler! *(indem sie ihn bey der Hand ergreift)*

V. TELLHEIM. *(der die andere Hand mit dem Hute vor das Gesicht*
20 *schlägt, und sich von ihr abwendet)*
Das ist zu viel! – Wo bin ich? – Lassen Sie mich, Fräulein! – Ihre Güte foltert mich! – Lassen Sie mich.

DAS FRÄULEIN.
25 Was ist Ihnen? wo wollen Sie hin?

V. TELLHEIM.
Von Ihnen –

30 DAS FRÄULEIN.
Von mir? *(indem sie seine Hand an ihre Brust zieht)* Träumer!

v. TELLHEIM.
Die Verzweiflung wird mich tod zu Ihren Füßen werfen.

|73| DAS FRÄULEIN.
5 Von mir?

v. TELLHEIM.
Von Ihnen. – Sie nie, nie wieder zu sehen. – Oder doch so entschlossen, so fest entschlossen, – keine Nieder-
10 trächtigkeit zu begehen, – Sie keine Unbesonnenheit begehen zu lassen – Lassen Sie mich, Minna! *(reißt sich los und ab.)*

DAS FRÄULEIN. *(ihm nach)*
15 Minna Sie lassen? Tellheim! Tellheim!

*Ende des zweyten Aufzuges.*

## Dritter Aufzug.

### Erster Auftritt.

*(die Scene, der Saal)*

Just. *(einen Brief in der Hand)*

Muß ich doch noch einmal in das verdammte Haus kommen! – Ein Briefchen von meinem Herrn an das gnädige Fräulein, das seine Schwester seyn will. – Wenn sich nur da nichts anspinnt! – Sonst wird des Brieftragens kein Ende werden. – Ich wär es gern los; aber ich möchte auch nicht |74| gern ins Zimmer hinein. – Das Frauenszeug fragt so viel; und ich antworte so ungern! – Ha, die Thüre geht auf. Wie gewünscht! das Kammerkätzchen!

### Zweyter Auftritt.

Franciska. Just.

Franciska. *(zur Thüre herein, aus der sie kömmt)*
Sorgen Sie nicht; ich will schon aufpassen. – Sieh! *(indem sie Justen gewahr wird)* da stieße mir ja gleich was auf. Aber mit dem Vieh ist nichts anzufangen.

Just.
Ihr Diener –

FRANCISKA.
Ich wollte so einen Diener nicht –

JUST.
Nu, nu; verzeih Sie mir die Redensart! – Da bring ich ein Briefchen von meinem Herrn an Ihre Herrschaft, das gnädige Fräulein – Schwester. – Wars nicht so? Schwester.

FRANCISKA.
Geb Er her! *(reißt ihm den Brief aus der Hand)*

JUST.
Sie soll so gut seyn, läßt mein Herr bitten, und es übergeben. Hernach soll Sie so gut |75| seyn, läßt mein Herr bitten – daß Sie nicht etwa denkt, ich bitte was! –

FRANCISKA.
Nun denn?

JUST.
Mein Herr versteht den Rummel. Er weiß, daß der Weg zu den Fräuleins durch die Kammermädchens geht: – bild ich mir ein! – Die Jungfer soll also so gut seyn, – läßt mein Herr bitten, – und ihm sagen lassen, ob er nicht das Vergnügen haben könnte, die Jungfer auf ein Viertelstündchen zu sprechen.

FRANCISKA.
Mich?

JUST.
Verzeih Sie mir, wenn ich Ihr einen unrechten Titel gebe. – Ja, Sie! – Nur auf ein Viertelstündchen; aber allein, ganz allein, insgeheim, unter vier Augen. Er hätte Ihr was sehr nothwendiges zu sagen.

FRANCISKA.
Gut; ich habe ihm auch viel zu sagen. – Er kann nur kommen, ich werde zu seinem Befehle seyn.

JUST.
Aber, wenn kann er kommen? Wenn ist es Ihr am gelegensten, Jungfer? So in der Demmerung? –

|76| FRANCISKA.
Wie meynt Er das? – Sein Herr kann kommen, wenn er will; – und damit packe Er Sich nur!

JUST.
Herzlich gern! *(will fortgehen)*

FRANCISKA.
Hör Er doch; noch auf ein Wort. – Wo sind denn die andern Bedienten des Majors?

JUST.
Die andern? Dahin, dorthin, überallhin.

FRANCISKA.
Wo ist Willhelm?

JUST.
Der Kammerdiener? den läßt der Major reisen.

FRANCISKA.
5 So? Und Philipp, wo ist der?

JUST.
Der Jäger? den hat der Herr aufzuheben gegeben.

10 FRANCISKA.
Weil er ietzt keine Jagd hat, ohne Zweifel. – Aber Martin?

JUST.
Der Kutscher? der ist weggeritten.

15

FRANCISKA.
Und Fritz?

JUST.
20 Der Läuffer? der ist avancirt.

FRANCISKA.
Wo war Er denn, als der Major bey uns in Thüringen im Winterquartiere stand? Er war wohl noch nicht bey ihm?

25

|77| JUST.
O ja; ich war Reitknecht bey ihm; aber ich lag im Lazareth.

30 FRANCISKA.
Reitknecht? Und ietzt ist Er?

JUST.
Alles in allem; Kammerdiener und Jäger, Läuffer und Reitknecht.

FRANCISKA.
Das muß ich gestehen! So viele gute, tüchtige Leute von sich zu lassen, und gerade den allerschlechtesten zu behalten! Ich möchte doch wissen, was Sein Herr an Ihm fände!

JUST.
Vielleicht findet er, daß ich ein ehrlicher Kerl bin.

FRANCISKA.
O, man ist auch verzweifelt wenig, wenn man weiter nichts ist, als ehrlich. – Willhelm war ein andrer Mensch! – Reisen läßt ihn der Herr?

JUST.
Ja, er läßt ihn; – da ers nicht hindern kann.

FRANCISKA.
Wie?

JUST.
O, Wilhelm wird sich alle Ehre auf seinen Reisen machen. Er hat des Herrn ganze Garderobe mit.

FRANCISKA.
Was? er ist doch nicht damit durch gegangen?

|78| JUST.
Das kann man nun eben nicht sagen; sondern, als wir von Nürnberg weggiengen, ist er uns nur nicht damit nachgekommen.

5

FRANCISKA.
O der Spitzbube!

JUST.
10 Es war ein ganzer Mensch! er konnte frisiren, und rasiren, und parliren, – und charmiren – Nicht wahr?

FRANCISKA.
So nach hätte ich den Jäger nicht von mir gethan, wenn 15 ich wie der Major gewesen wäre. Konnte er ihn schon nicht als Jäger nützen, so war es doch sonst ein tüchtiger Bursche. – Wem hat er ihn denn aufzuheben gegeben?

JUST.
20 Dem Kommendanten von Spandau.

FRANCISKA.
Der Vestung? Die Jagd auf den Wällen kann doch da auch nicht groß seyn.

25

JUST.
O, Philipp jagt auch da nicht.

FRANCISKA.
30 Was thut er denn?

JUST.
Er karrt.

FRANCISKA.
Er karrt?

JUST.
Aber nur auf drey Jahr. Er machte ein kleines Komplot unter des Herrn Kompagnie, und wollte sechs Mann durch die Vorposten bringen –

FRANCISKA.
Ich erstaune; der Bösewicht!

|79| JUST.
O, es ist ein tüchtiger Kerl! Ein Jäger, der fünfzig Meilen in der Runde, durch Wälder und Moraste, alle Fußsteige, alle Schleifwege kennt. Und schiessen kann er!

FRANCISKA.
Gut, daß der Major nur noch den braven Kutscher hat!

JUST.
Hat er ihn noch?

FRANCISKA.
Ich denke, Er sagte, Martin wäre weggeritten? So wird er doch wohl wieder kommen?

JUST.
Meynt Sie?

FRANCISKA.
Wo ist er denn hingeritten?

JUST.
5 Es geht nun in die zehnte Woche, da ritt er mit des Herrn einzigem und letztem Reitpferde – nach der Schwemme.

FRANCISKA.
Und ist noch nicht wieder da? O, der Galgenstrick!
10

JUST.
Die Schwemme kann den braven Kutscher auch wohl verschwemmt haben! – Es war gar ein rechter Kutscher! Er hatte in Wien zehn Jahre gefahren. So einen kriegt der
15 Herr gar nicht wieder. Wenn die Pferde im vollen Rennen waren, so durfte er nur machen: burr! und auf |80| einmal standen sie, wie die Mauern. Dabey war er ein ausgelernter Roßarzt!

20 FRANCISKA.
Nun ist mir für das Avancement des Läuffers bange.

JUST.
Nein, nein; damit hats seine Richtigkeit. Er ist Trommel-
25 schläger bey einem Garnisonregimente geworden.

FRANCISKA.
Dacht ichs doch!

30 JUST.
Fritz hieng sich an ein lüderliches Mensch, kam des

Nachts niemals nach Hause, machte auf des Herrn Namen überall Schulden, und tausend infame Streiche. Kurz, der Major sahe, daß er mit aller Gewalt höher wollte: *(das Hängen pantomimisch anzeigend)* er brachte ihn also auf guten Weg.

FRANCISKA.
O der Bube!

JUST.
Aber ein perfecter Läuffer ist er, das ist gewiß. Wenn ihm der Herr funfzig Schritte vorgab, so konnte er ihn mit seinem besten Renner nicht einholen. Fritz hingegen kann dem Galgen tausend Schritte vorgeben, und ich wette mein Leben, er hohlt ihn ein. – Es waren wohl alles Ihre guten Freunde, Jungfer? Der Willhelm und |81| der Philipp, der Martin und der Fritz? – Nun, Just empfiehlt sich! *(geht ab.)*

## DRITTER AUFTRITT.

FRANCISKA. *und hernach* DER WIRTH.

FRANCISKA. *(die ihm ernsthaft nachsieht)*
Ich verdiene den Biß! – Ich bedanke mich, Just. Ich setzte die Ehrlichkeit zu tief herab. Ich will die Lehre nicht vergessen. – Ah! der unglückliche Mann! *(kehrt sich um, und will nach dem Zimmer des Fräuleins gehen, indem der Wirth kömmt)*

DER WIRTH.
Warte Sie doch, mein schönes Kind. –

FRANCISKA.
Ich habe ietzt nicht Zeit, Herr Wirth –

DER WIRTH.
Nur ein kleines Augenblickchen! – Noch keine Nachricht weiter von dem Herrn Major? Das konnte doch unmöglich sein Abschied seyn! –

FRANCISKA.
Was denn?

DER WIRTH.
Hat es Ihr das gnädige Fräulein nicht erzählt? – Als ich Sie, mein schönes |82| Kind, unten in der Küche verließ, so kam ich von ungefehr wieder hier in den Saal –

FRANCISKA.
Von ungefehr, in der Absicht, ein wenig zu horchen.

DER WIRTH.
Ey, mein Kind, wie kann Sie das von mir denken? Einem Wirthe läßt nichts übler, als Neugierde. – Ich war nicht lange hier, so prellte auf einmal die Thüre bey dem gnädigen Fräulein auf. Der Major stürzte heraus; das Fräulein ihm nach; beide in einer Bewegung, mit Blicken, in einer Stellung – so was läßt sich nur sehen. Sie ergriff ihn; er riß sich los; sie ergriff ihn wieder. Tellheim! – Fräulein! lassen Sie mich! – Wohin? So zog er sie bis an die Treppe. Mir war schon bange, er würde sie mit herabreißen. Aber er wand sich noch los. Das Fräulein blieb an der obersten Schwelle stehn; sah ihm nach; rief ihm nach; rang die

Hände. Auf einmal wandte sie sich um, lief nach dem Fenster, von dem Fenster wieder zur Treppe, von der Treppe in dem Saale hin und wieder. Hier stand ich; hier gieng sie dreymal bey mir vorbey, ohne mich zu sehen. Endlich war es, als ob |83| sie mich sähe; aber, Gott sey bey uns! ich glaube, das Fräulein sahe mich für Sie an, mein Kind. „Franciska[“], rief sie, die Augen auf mich gerichtet, „bin ich nun glücklich?“ Darauf sahe sie steif an die Decke, und wiederum: „bin ich nun glücklich?“ Darauf wischte sie sich Thränen aus dem Auge, und lächelte, und fragte mich wiederum;[:] „Franciska, bin ich nun glücklich?“ – Wahrhaftig, ich wußte nicht, wie mir war. Bis sie nach ihrer Thüre lief; da kehrte sie sich nochmals nach mir um: „So komm doch, Franciska; wer jammert dich nun?“ – Und damit hinein.

FRANCISKA.
O, Herr Wirth, das hat Ihnen geträumt.

DER WIRTH.
Geträumt? Nein, mein schönes Kind; so umständlich träumt man nicht. – Ja ich wollte wie viel drum geben, – ich bin nicht neugierig, – aber ich wollte wie viel drum geben, wenn ich denn [den] Schlüssel dazu hätte.

FRANCISKA.
Den Schlüssel? zu unsrer Thüre? Herr Wirth, der steckt innerhalb; wir haben ihn zur Nacht hereingezogen; wir sind furchtsam.

|84| DER WIRTH.
Nicht so einen Schlüssel; ich will sagen, mein schönes Kind, den Schlüssel; die Auslegung gleichsam; so den eigentlichen Zusammenhang von dem, was ich gesehen. –

5

FRANCISKA.
Ja so! – Nun, Adjeu, Herr Wirth. Werden wir bald essen, Herr Wirth?

10 DER WIRTH.
Mein schönes Kind, nicht zu vergessen, was ich eigentlich sagen wollte.

FRANCISKA.
15 Nun? aber nur kurz –

DER WIRTH.
Das gnädige Fräulein hat noch meinen Ring; ich nenne ihn meinen –

20

FRANCISKA.
Er soll Ihnen unverloren seyn.

DER WIRTH.
25 Ich trage darum auch keine Sorge; ich wills nur erinnern. Sieht Sie; ich will ihn gar nicht einmal wieder haben. Ich kann mir doch wohl an den Fingern abzählen, woher sie den Ring kannte, und woher er dem ihrigen so ähnlich sah. Er ist in ihren Händen am besten aufgehoben. Ich
30 mag ihn gar nicht mehr, und will indeß die hundert Pistolen, die ich darauf gegeben habe, auf des gnädigen

Fräuleins Rechnung setzen. Nicht so recht, mein schönes Kind?

|85|

## VIERTER AUFTRITT.

PAUL WERNER. DER WIRTH. FRANCISKA.

WERNER.
Da ist er ja!

FRANCISKA.
Hundert Pistolen? Ich meynte, nur achtzig.

DER WIRTH.
Es ist wahr, nur neunzig, nur neunzig. Das will ich thun, mein schönes Kind, das will ich thun.

FRANCISKA.
Alles das wird sich finden, Herr Wirth.

WERNER. *(der ihnen hinterwärts näher kömmt, und auf einmal der Franciska auf die Schulter klopft)*
Frauenzimmerchen! Frauenzimmerchen!

FRANCISKA. *(erschrickt)*
He!

WERNER.
Erschrecke Sie nicht! – Frauenzimmerchen, Frauenzimmerchen, ich sehe, Sie ist hübsch, und ist wohl gar fremd – Und hübsche fremde Leute müssen gewarnet werden –

Frauenzimmerchen, Frauenzimmerchen, nehm Sie Sich vor dem Manne in Acht! *(auf den Wirth zeigend)*

Der Wirth.

5 Je, unvermuthete Freude! Herr Paul Werner! Willkommen bey uns, willkom|86|men! – Ah, es ist doch immer noch der lustige, spaßhafte, ehrliche Werner! – Sie soll Sich vor mir in Acht nehmen, mein schönes Kind! Ha, ha, ha!

10

Werner.

Geh Sie ihm überall aus dem Wege!

Der Wirth.

15 Mir! mir! – Bin ich denn so gefährlich? – Ha, ha, ha! – Hör Sie doch, mein schönes Kind! Wie gefällt Ihr der Spaß?

Werner.

Daß es doch immer Seines gleichen für Spaß erklären,
20 wenn man ihnen die Wahrheit sagt.

Der Wirth.

Die Wahrheit! ha! ha, ha! – Nicht wahr, mein schönes Kind, immer besser! Der Mann kann spaßen! Ich gefähr-
25 lich? – ich? – So vor zwanzig Jahren, war was dran. Ja, ja, mein schönes Kind, da war ich gefährlich; da wußte manche davon zu sagen; aber ietzt –

Werner.

30 O über den alten Narrn!

DER WIRTH.
Da steckts eben! Wenn wir alt werden, ist es mit unsrer Gefährlichkeit aus. Es wird Ihm auch nicht besser gehen, Herr Werner!

5

|87| WERNER.
Potz Geck, und kein Ende! – Frauenzimmerchen, so viel Verstand wird Sie mir wohl zutrauen, daß ich von der Gefährlichkeit nicht rede. Der Teufel hat ihn verlassen,
10 aber es sind dafür sieben andre in ihn gefahren –

DER WIRTH.
O hör Sie doch, hör Sie doch! Wie er das nun wieder so herum zu bringen weiß! – Spaß über Spaß, und immer
15 was Neues! O, es ist ein vortrefflicher Mann, der Herr Paul Werner! – *(zur Franciska, als ins Ohr)* Ein wohlhabender Mann, und noch ledig. Er hat drey Meilen von hier ein schönes Freyschulzengerichte. Der hat Beute gemacht im Kriege! – Und ist Wachmeister bey unserm Herrn
20 Major gewesen. O, das ist ein Freund von unserm Herrn Major! das ist ein Freund! der sich für ihn tod schlagen ließe! –

WERNER.
25 Ja! und das ist ein Freund von meinem Major! das ist ein Freund! – den der Major sollte tod schlagen lassen.

DER WIRTH.
Wie? was? – Nein, Herr Werner, das ist nicht guter Spaß.
30 – Ich kein Freund vom Herrn Major? – Nein, den Spaß versteh ich nicht.

|88| WERNER.
Just hat mir schöne Dinge erzählt.

DER WIRTH.
Just? Ich dachts wohl, daß Just durch Sie spräche. Just ist ein böser, garstiger Mensch. Aber hier ist ein schönes Kind zur Stelle; das kann reden; das mag sagen, ob ich kein Freund von dem Herrn Major bin? ob ich ihm keine Dienste erwiesen habe? Und warum sollte ich nicht sein Freund seyn? Ist er nicht ein verdienter Mann? Es ist wahr; er hat das Unglück gehabt, abgedankt zu werden: aber was thut das? Der König kann nicht alle verdiente Männer kennen; und wenn er sie auch alle kennte, so kann er sie nicht alle belohnen.

WERNER.
Das heißt ihn Gott sprechen! – Aber Just – freylich ist an Justen auch nicht viel Besonders; doch ein Lügner ist Just nicht; und wenn das wahr wäre, was er mir gesagt hat –

DER WIRTH.
Ich will von Justen nichts hören! Wie gesagt: das schöne Kind hier mag sprechen! *(zu ihr ins Ohr)* Sie weiß, mein Kind; den Ring! – Erzähl Sie es doch Herr Wernern. Da wird er mich besser kennen lernen. Und damit es nicht heraus kömmt, als ob Sie mir nur zu |89| gefallen rede: so will ich nicht einmal dabey seyn. Ich will nicht dabey seyn; ich will gehn; aber Sie sollen mir es wiedersagen, Herr Werner, Sie sollen mir es wiedersagen, ob Just nicht ein garstiger Verleumder ist.

## Fünfter Auftritt.
### Paul Werner. Franciska.

Werner.
5 Frauenzimmerchen, kennt Sie denn meinen Major?

Franciska.
Den Major von Tellheim? Ja wohl kenn ich den braven Mann.
10

Werner.
Ist es nicht ein braver Mann? Ist Sie dem Manne wohl gut? –

15 Franciska.
Von Grund meines Herzens.

Werner.
Wahrhaftig? Sieht Sie, Frauenzimmerchen; nun kömmt Sie
20 mir noch einmal so schön vor. – Aber was sind denn das für Dienste, die der Wirth unserm Major will erwiesen haben?

Franciska.
Ich wüßte eben nicht; es wäre denn, daß er sich das Gute
25 zuschreiben wollte, wel|90|ches glücklicher Weise aus seinem schurkischen Betragen entstanden.

Werner.
So wäre es ja wahr, was mir Just gesagt hat? – *(gegen die Seite,*
30 *wo der Wirth abgegangen)* Dein Glück, daß du gegangen bist! – Er hat ihm wirklich die Zimmer ausgeräumt? – So einem

Manne, so einen Streich zu spielen, weil sich das Eselsgehirn einbildet, daß der Mann kein Geld mehr habe! Der Major kein Geld?

FRANCISKA.
So? hat der Major Geld?

WERNER.
Wie Heu! Er weiß nicht, wie viel er hat. Er weiß nicht, wer ihm schuldig ist. Ich bin ihm selber schuldig, und bringe ihm ein altes Restchen. Sieht Sie, Frauenzimmerchen, hier in diesem Beutelchen *(das er aus der einem [einen] Tasche zieht)* sind hundert Louisdor; und in diesem Röllchen *(das er aus der andern zieht)* hundert Dukaten. Alles sein Geld!

FRANCISKA.
Wahrhaftig? Aber warum versetzt denn der Major? Er ja hat einen Ring versetzt –

WERNER.
Versetzt! Glaub Sie doch so was nicht. Vielleicht, daß er den Bettel hat gern wollen los seyn.

|91| FRANCISKA.
Es ist kein Bettel! es ist ein sehr kostbarer Ring, den er wohl noch dazu von lieben Händen hat.

WERNER.
Das wirds auch seyn. Von lieben Händen; ja, ja! So was erinnert einen manchmal, woran man nicht gern erinnert seyn will. Drum schafft mans aus den Augen.

FRANCISKA.
Wie?

WERNER.
Dem Soldaten gehts in Winterquartieren wunderlich. Da hat er nichts zu thun, und pflegt sich, und macht vor langer Weile Bekanntschafften, die er nur auf den Winter meynet, und die das gute Herz, mit dem er sie macht, für Zeit-Lebens annimmt. Husch ist ihm denn ein Ringelchen an den Finger prackticirt; er weiß selbst nicht, wie es dran kömmt. Und nicht selten gäb er gern den Finger mit drum, wenn er es nur wieder los werden könnte.

FRANCISKA.
Ey! und sollte es wohl dem Major auch so gegangen seyn?

WERNER.
Ganz gewiß. Besonders in Sachsen; wenn er zehn Finger an jeder Hand gehabt |92| hätte, er hätte sie alle zwanzig voller Ringe gekriegt.

FRANCISKA. *(bey Seite)*
Das klingt ja ganz besonders, und verdient untersucht zu werden. – Herr Freyschulze, oder Herr Wachmeister –

WERNER.
Frauenzimmerchen, wenns Ihr nichts verschlägt: – Herr Wachmeister, höre ich am liebsten.

FRANCISKA.
Nun, Herr Wachmeister, hier habe ich ein Briefchen von

dem Herrn Major an meine Herrschafft. Ich will es nur geschwind herein tragen, und bin gleich wieder da. Will Er wohl so gut seyn, und so lange hier warten? Ich möchte gar zu gern mehr mit Ihm plaudern.

WERNER.
Plaudert Sie gern, Frauenzimmerchen? Nun meinetwegen; geh Sie nur; ich plaudre auch gern; ich will warten.

FRANCISKA.
O, warte Er doch ja! *(geht ab.)*

## SECHSTER AUFTRITT.
PAUL WERNER.

Das ist kein unebenes Frauenzimmerchen! – Aber ich hätte ihr doch nicht versprechen sollen, zu |93| warten. – Denn das Wichtigste wäre wohl, ich suchte den Major auf. – Er will mein Geld nicht, und versetzt lieber? – Daran kenn ich ihn. – Es fällt mir ein Schneller ein. – Als ich vor vierzehn Tagen in der Stadt war, besuchte ich die Rittmeisterinn Marloff. Das arme Weib lag krank, und jammerte, daß ihr Mann dem Major vierhundert Thaler schuldig geblieben wäre, die sie nicht wüßte, wie sie sie bezahlen sollte. Heute wollte ich sie wieder besuchen; – ich wollte ihr sagen, wenn ich das Geld für mein Gütchen ausgezahlt kriegte, daß ich ihr fünfhundert Thaler leihen könnte. – Denn ich muß ja wohl was davon in Sicherheit bringen, wenns in Persien nicht geht. – Aber sie war über alle Berge. Und ganz gewiß wird sie den Major nicht haben bezahlen können. – Ja, so will ichs machen; und das je eher, je lieber. – Das Frauenzimmerchen mag mirs nicht übel nehmen; ich kann nicht warten. *(geht in Gedanken ab, und stößt fast auf den Major, der ihm entgegen kömmt)*

|94|

## SIEBENDER AUFTRITT.

VON TELLHEIM. PAUL WERNER.

V. TELLHEIM.
So in Gedanken, Werner?

WERNER.
Da sind Sie ja! Ich wollte eben gehn, und Sie in Ihrem neuen Quartiere besuchen, Herr Major.

V. TELLHEIM.
Um mir auf den Wirth des alten die Ohren voll zu fluchen. Gedenke mir nicht daran.

WERNER.
Das hätte ich beyher gethan; ja. Aber eigentlich wollte ich mich nur bey Ihnen bedanken, daß Sie so gut gewesen, und mir die hundert Louisdor aufgehoben. Just hat mir sie wiedergegeben. Es wäre mir wohl freylich lieb, wenn Sie mir sie noch länger aufheben könnten. Aber Sie sind in ein neu Quartier gezogen, das weder Sie, noch ich kennen. Wer weiß, wies da ist. Sie könnten Ihnen da gestohlen werden; und Sie müßten mir sie ersetzen; da hülffe nichts davor. Also kann ichs Ihnen freylich nicht zumuthen.

|97| v. TELLHEIM.
Daß sie mir nichts mehr schuldig ist?

WERNER.
5 Wahrhaftig?

v. TELLHEIM.
Daß sie mich bey Heller und Pfennig bezahlt hat: was wirst du denn sagen?

10

WERNER. *(der sich einen Augenblick besinnt)*
Ich werde sagen, daß ich gelogen habe, und daß es eine hundsföttsche Sache ums Lügen ist, weil man drüber ertappt werden kann.

15

v. TELLHEIM.
Und wirst dich schämen?

WERNER.
20 Aber der, der mich so zu lügen zwingt, was sollte der? Sollte der sich nicht auch schämen? Sehen Sie, Herr Major; wenn ich sagte, daß mich Ihr Verfahren nicht verdröße, so hätte ich wieder gelogen, und ich will nicht mehr lügen –

25

v. TELLHEIM.
Sey nicht verdrüßlich, Werner! Ich erkenne dein Herz und deine Liebe zu mir[.] Aber ich brauche dein Geld nicht.

30

WERNER.
Sie brauchen es nicht? Und verkauffen lieber, und versetzen lieber, und bringen sich lieber in der Leute Mäuler?

5 |98| v. TELLHEIM.
Die Leute mögen es immer wissen, daß ich nichts mehr habe. Man muß nicht reicher scheinen wollen, als man ist.

WERNER.
10 Aber warum ärmer? – Wir haben, so lange unser Freund hat.

v. TELLHEIM.
Es ziemt sich nicht, daß ich dein Schuldner bin.
15

WERNER.
Ziemt sich nicht? – Wenn an einem heißen Tage, den uns die Sonne und der Feind heiß machte, sich Ihr Reitknecht mit den Kantinen verloren hatte; und Sie zu mir kamen
20 und sagten: Werner hast du nichts zu trinken? und ich Ihnen meine Feldflasche reichte, nicht wahr, Sie nahmen und tranken? – Ziemte sich das? – Bey meiner armen Seele, wenn ein Trunk faules Waßer damals nicht oft mehr werth war, als alle der Quark! *(indem er auch den Beutel*
25 *mit den Louisdoren heraus zieht, und ihm beides hinreicht)* Nehmen Sie, lieber Major! Bilden Sie Sich ein, es ist Waßer. Auch das hat Gott für alle geschaffen.

v. TELLHEIM.
30 Du marterst mich; du hörst es ja, ich will dein Schuldner nicht seyn.

|99| WERNER.
Erst ziemte es sich nicht; nun wollen Sie nicht? Ja das ist was anders. *(etwas ärgerlich)* Sie wollen mein Schuldner nicht seyn? Wenn Sie es denn aber schon wären, Herr Major? Oder sind Sie dem Manne nichts schuldig, der einmal den Hieb auffieng, der Ihnen den Kopf spalten sollte, und ein andermal den Arm vom Rumpfe hieb, der eben losdrücken und Ihnen die Kugel durch die Brust jagen wollte? – Was können Sie diesem Manne mehr schuldig werden? Oder hat es mit meinem Halse weniger zu sagen, als mit meinem Beutel? – Wenn das vornehm gedacht ist, bey meiner armen Seele, so ist es auch sehr abgeschmackt gedacht!

V. TELLHEIM.
Mit wem sprichst du so, Werner? Wir sind allein; ietzt darf ich es sagen; wenn uns ein Dritter hörte, so wäre es Windbeuteley. Ich bekenne es mit Vergnügen, daß ich dir zweymal mein Leben zu danken habe. Aber, Freund, woran fehlt mir es, daß ich bey Gelegenheit nicht eben so viel für dich würde gethan haben? He!

WERNER.
Nur an der Gelegenheit! Wer hat daran gezweifelt, Herr Major? Habe ich Sie |100| nicht hundertmal für den gemeinsten Soldaten, wenn er ins Gedrenge gekommen war, Ihr Leben wagen sehen?

V. TELLHEIM.
Also!

WERNER.
Aber –

v. TELLHEIM.
5 Warum verstehst du mich nicht recht? Ich sage: es ziemt sich nicht, daß ich dein Schuldner bin; ich will dein Schuldner nicht seyn. Nehmlich in den Umständen nicht, in welchen ich mich ietzt befinde.

10 WERNER.
So, so! Sie wollen es versparen, bis auf beßre Zeiten; Sie wollen ein andermal Geld von mir borgen, wenn Sie keines brauchen, wenn Sie selbst welches haben, und ich vielleicht keines.
15

v. TELLHEIM.
Man muß nicht borgen, wenn man nicht wieder zu geben weiß.

20 WERNER.
Einem Manne, wie Sie, kann es nicht immer fehlen.

v. TELLHEIM.
Du kennst die Welt! – Am wenigsten muß man sodann
25 von Einem borgen, der sein Geld selbst braucht.

|101| WERNER.
O ia, so Einer bin ich! Wozu braucht ichs denn? – Wo man einen Wachmeister nothig hat, giebt man ihm auch
30 zu leben.

v. TELLHEIM.
Du brauchst es, mehr als Wachmeister zu werden; dich auf einer Bahn weiter zu bringen, auf der, ohne Geld, auch der Würdigste zurück bleiben kann.

5

WERNER.
Mehr als Wachmeister zu werden? Daran denke ich nicht. Ich bin ein guter Wachmeister; und dürfte leicht ein schlechter Rittmeister, und sicherlich noch ein schlechtrer General werden. Die Erfahrung hat man.

10

v. TELLHEIM.
Mache nicht, daß ich etwas Unrechtes von dir denken muß, Werner! Ich habe es nicht gern gehört, was mir Just gesagt hat. Du hast dein Gut verkauft, und willst wieder herum schwärmen. Laß mich nicht von dir glauben, daß du nicht so wohl das Metier, als die wilde, lüderliche Lebensart liebest, die unglücklicher Weise damit verbunden ist. Man muß Soldat seyn, für sein Land; oder aus Liebe zu der Sache, für die gefochten wird. Ohne Absicht |102| heute hier, morgen da dienen: heißt wie ein Fleischerknecht reisen, weiter nichts.

15

20

WERNER.
Nun ja doch, Herr Major; ich will Ihnen folgen. Sie wissen besser, was sich gehört. Ich will bey Ihnen bleiben. – Aber, lieber Major, nehmen Sie doch auch derweile mein Geld. Heut oder morgen muß Ihre Sache aus seyn. Sie müssen Geld die Menge bekommen. Sie sollen mir es sodann mit Interessen wieder geben. Ich thu es ja nur der Interessen wegen.

25

30

v. TELLHEIM.
Schweig davon!

WERNER.
5 Bey meiner armen Seele, ich thu es nur der Interesse[n] wegen! – Wenn ich manchmal dachte: wie wird es mit dir aufs Alter werden? wenn du zu Schanden gehauen bist? wenn du nichts haben wirst? wenn du wirst betteln gehen müssen? So dachte ich wieder: Nein, du wirst nicht 10 betteln gehn; du wirst zum Major Tellheim gehn; der wird seinen letzten Pfennig mit dir theilen; der wird dich zu Tode füttern; bey dem wirst du als ein ehrlicher Kerl sterben können.

15 |103| v. TELLHEIM. *(indem er Werners Hand ergreift)*
Und, Kammerad, das denkst du nicht noch?

WERNER.
Nein, das denk ich nicht mehr. – Wer von mir nichts 20 nehmen will, wenn ers bedarf, und ichs habe; der will mir auch nichts geben, wenn ers hat, und ichs bedarf. – Schon gut! *(will gehen)*

v. TELLHEIM.
25 Mensch, mache mich nicht rasend! Wo willst du hin? *(hält ihn zurück)* Wenn ich dich nun auf meine Ehre versichere, daß ich noch Geld habe; wenn ich dir auf meine Ehre verspreche, daß ich dir es sagen will, wenn ich keines mehr habe; daß du der erste und einzige seyn sollst, bey 30 dem ich mir borgen will: – Bist du dann zufrieden?

WERNER.
Muß ich nicht? – Geben Sie mir die Hand darauf, Herr Major.

v. TELLHEIM.
5 Da, Paul! – Und nun genug davon. Ich kam hieher, um ein gewisses Mädchen zu sprechen –

|104|

## ACHTER AUFTRITT.

10 FRANCISKA. *(aus dem Zimmer des Fräuleins.)*
v. TELLHEIM. PAUL WERNER.

FRANCISKA. *(im heraustreten)*
Sind Sie noch da, Herr Wachmeister? – *(indem sie den*
15 *Tellheim gewahr wird)* Und Sie sind auch da, Herr Major? – Den Augenblick bin ich zu Ihren Diensten. *(geht geschwind wieder in das Zimmer)*

20
## NEUNTER AUFTRITT.

v. TELLHEIM. PAUL WERNER.

v. TELLHEIM.
Das war sie! – Aber ich höre ja, du kennst sie, Werner?
25

WERNER.
Ja, ich kenne das Frauenzimmerchen. –

v. TELLHEIM.
30 Gleichwohl, wenn ich mich recht erinnere, als ich in Thüringen Winterquartier hatte, warst du nicht bey mir.

WERNER.
Nein, da besorgte ich in Leipzig Mundirungsstücke.

v. TELLHEIM.
5 Woher kennst du sie denn also?

|105| WERNER.
Unsere Bekanntschaft ist noch blut jung. Sie ist von heute. Aber junge Bekanntschaft ist warm.
10

v. TELLHEIM.
Also hast du ihr Fräulein wohl auch schon gesehen?

WERNER.
15 Ist ihre Herrschaft ein Fräulein? Sie hat mir gesagt, Sie kennten ihre Herrschaft.

v. TELLHEIM.
Hörst du nicht? aus Thüringen her.
20

WERNER.
Ist das Fräulein jung?

v. TELLHEIM.
25 Ja.

WERNER.
Schön?

30 v. TELLHEIM.
Sehr schön.

WERNER.
Reich?

V. TELLHEIM.
5 Sehr reich.

WERNER.
Ist Ihnen das Fräulein auch so gut, wie das Mädchen? Das wäre ja vortrefflich!

10

V. TELLHEIM.
Wie meynst du?

15 ZEHNTER AUFTRITT.
FRANCISKA. *(wieder heraus, mit einem Brief in der Hand)*
V. TELLHEIM. PAUL WERNER.

FRANCISKA.
20 Herr Major –

|106| V. TELLHEIM.
Liebe Franciska, ich habe dich noch nicht willkommen heissen können.

25

FRANCISKA.
In Gedanken werden Sie es doch schon gethan haben. Ich weiß, Sie sind mir gut. Ich Ihnen auch. Aber das ist gar nicht artig, daß Sie Leute, die Ihnen gut sind, so ängstigen.

30

WERNER. *(vor sich)*
Ha, nun merk ich. Es ist richtig!

V. TELLHEIM.
5 Mein Schicksal, Franciska! – Hast du ihr den Brief übergeben?

FRANCISKA.
Ja, und hier übergebe ich Ihnen – *(reicht ihm den Brief)*

10

V. TELLHEIM.
Eine Antwort? –

FRANCISKA.
15 Nein, Ihren eignen Brief wieder.

V. TELLHEIM.
Was? Sie will ihn nicht lesen?

20 FRANCISKA.
Sie wollte wohl; aber – wir können Geschriebenes nicht gut lesen.

V. TELLHEIM.
25 Schäckerinn!

FRANCISKA.
Und wir denken, daß das Briefschreiben für die nicht erfunden ist, die sich mündlich mit einander unterhalten
30 können, sobald sie wollen.

|107| v. TELLHEIM.
Welcher Vorwand! Sie muß ihn lesen. Er enthält meine Rechtfertigung, – alle die Gründe und Ursachen –

5 FRANCISKA.
Die will das Fräulein von Ihnen selbst hören, nicht lesen.

v. TELLHEIM.
Von mir selbst hören? Damit mich jedes Wort, jede Miene
10 von ihr verwirre; damit ich in jedem ihrer Blicke die ganze Größe meines Verlusts empfinde? –

FRANCISKA.
Ohne Barmherzigkeit! – Nehmen Sie! *(sie giebt ihm den*
15 *Brief)* Sie erwartet Sie um drey Uhr. Sie will ausfahren, und die Stadt besehen. Sie sollen mit ihr fahren.

v. TELLHEIM.
Mit ihr fahren?

20

FRANCISKA.
Und was geben Sie mir, so laß ich sie beide ganz allein fahren? Ich will zu Hause bleiben.

25 v. TELLHEIM.
Ganz allein?

FRANCISKA.
In einem schönen verschloßnen Wagen.

30

v. TELLHEIM.
Unmöglich!

FRANCISKA.
Ja, ja; im Wagen muß der Herr Major Katz aushalten; da kann er uns nicht |108| entwischen. Darum geschicht es eben. – Kurz, Sie kommen, Herr Major; und Punckte drey. – Nun? Sie wollten mich ja auch allein sprechen. Was haben Sie mir denn zu sagen? – Ja so, wir sind nicht allein. *(indem sie Wernern ansieht)*

v. TELLHEIM.
Doch Franciska; wir wären allein. Aber da das Fräulein den Brief nicht gelesen hat, so habe ich dir noch nichts zu sagen.

FRANCISKA.
So? wären wir doch allein? Sie haben vor dem Herrn Wachmeister keine Geheimnisse? –

v. TELLHEIM.
Nein, keine.

FRANCISKA.
Gleichwohl, dünkt mich, sollten Sie welche vor ihm haben.

v. TELLHEIM.
Wie das?

WERNER[.]
Warum das, Frauenzimmerchen?

FRANCISKA.
5 Besonders Geheimnisse von einer gewissen Art. – Alle zwanzig, Herr Wachmeister? *(indem sie beide Hände mit gespreitzten Fingern in die Höhe hält)*

WERNER.
10 St! st! Frauenzimmerchen, Frauenzimmerchen!

V. TELLHEIM.
Was heißt das?

15 |109| FRANCISKA.
Husch ists am Finger, Herr Wachmeister? *(als ob sie einen Ring geschwind ansteckte)*

V. TELLHEIM.
20 Was habt ihr?

WERNER.
Frauenzimmerchen, Frauenzimmerchen, Sie wird ja wohl Spaß verstehn?

25

V. TELLHEIM.
Werner, du hast doch nicht vergessen, was ich dir mehrmal gesagt habe; daß man über einen gewissen Punckt mit dem Frauenzimmer nie scherzen muß.

30

WERNER.
Bey meiner armen Seele, ich kanns vergessen haben! – Frauenzimmerchen, ich bitte –

5 FRANCISKA.
Nun wenn es Spaß gewesen ist; dasmal will ich es Ihm verzeihen.

v. TELLHEIM.
10 Wenn ich denn durchaus kommen muß, Franciska: so mache doch nur, daß das Fräulein den Brief vorher noch lieset. Das wird mir die Peinigung ersparen, Dinge noch einmal zu denken, noch einmal zu sagen, die ich so gern vergessen möchte. Da, gib ihr ihn! *(indem er den Brief*
15 *umkehrt, und ihr ihn zureichen will, wird er gewahr, daß er erbrochen ist)* Aber sehe ich recht? Der Brief Franciska, ist ja erbrochen.

|110| FRANCISKA.
20 Das kann wohl seyn. *(besieht ihn)* Wahrhaftig er ist erbrochen. Wer muß ihn denn erbrochen haben? Doch gelesen haben wir ihn wirklich nicht, Herr Major, wirklich nicht. Wir wollen ihn auch nicht lesen, denn der Schreiber kömmt selbst. Kommen Sie ja; und wissen Sie was, Herr
25 Major? Kommen Sie nicht so, wie Sie da sind; in Stiefeln, kaum frisirt. Sie sind zu entschuldigen; Sie haben uns nicht vermuthet. Kommen Sie in Schuen, und lassen Sie Sich frisch frisiren. – So sehen Sie mir gar zu brav, gar zu Preußisch aus!

30

v. TELLHEIM.
Ich danke dir, Franciska.

FRANCISKA.
5 Sie sehen aus, als ob Sie vorige Nacht kampirt hätten.

v. TELLHEIM[.]
Du kannst es errathen haben.

10 FRANCISKA.
Wir wollen uns gleich auch putzen, und sodann essen. Wir behielten Sie gern zum Essen, aber Ihre Gegenwart möchte uns an dem Essen hindern; und sehen Sie, so gar verliebt sind wir nicht, daß uns nicht hungerte.

15

v. TELLHEIM.
Ich geh! Franciska, bereite sie indeß ein wenig vor; damit ich weder in ihren, |111| noch in meinen Augen verächtlich werden darf. – Komm, Werner, du sollst mit mir
20 essen.

WERNER.
An der Wirthstafel, hier im Hause? Da wird mir kein Bissen schmecken.

25

v. TELLHEIM.
Bey mir auf der Stube.

WERNER.
30 So folge ich Ihnen gleich. Nur noch ein Wort mit dem Frauenzimmerchen.

V. TELLHEIM.
Das gefällt mir nicht übel! *(geht ab)*

5

## EILFTER AUFTRITT.

PAUL WERNER. FRANCISKA.

FRANCISKA.
Nun, Herr Wachmeister? –

10

WERNER.
Frauenzimmerchen, wenn ich wiederkomme, soll ich auch geputzter kommen?

15 FRANCISKA.
Komm Er, wie Er will, Herr Wachmeister; meine Augen werden nichts wider Ihn haben. Aber meine Ohren werden desto mehr auf ihrer Hut gegen Ihn seyn müssen. – Zwanzig Finger, alle voller Ringe! – Ey, ey, Herr Wach-
20 meister!

WERNER.
Nein, Frauenzimmerchen; eben das wollt ich Ihr noch sagen: die Schnurre fuhr mir |112| nun so heraus! Es ist
25 nichts dran. Man hat ja wohl an Einem Ringe genug. Und hundert und aber hundertmal, habe ich den Major sagen hören: das muß ein Schurke von einem Soldaten seyn, der ein Mädchen anführen kann! – So denk ich auch, Frauenzimmerchen. Verlaß Sie Sich darauf! – Ich muß machen,
30 daß ich ihm nachkomme. – Guten Appetit, Frauenzimmerchen! *(geht ab)*

FRANCISKA.
Gleichfalls, Herr Wachmeister! – Ich glaube, der Mann gefällt mir! *(indem sie herein gehen will, kömmt ihr das Fräulein entgegen)*

5

## ZWÖLFTER AUFTRITT.
DAS FRÄULEIN. FRANCISKA.

10 DAS FRÄULEIN.
Ist der Major schon wieder fort? – Franciska, ich glaube, ich wäre ietzt schon wieder ruhig genug, daß ich ihn hätte hier behalten können.

15 FRANCISKA.
Und ich will Sie noch ruhiger machen.

DAS FRÄULEIN.
Desto besser! Sein Brief, o sein Brief! Jede Zeile sprach
20 den ehrlichen, edlen Mann. Jede Weigerung, mich zu besitzen, betheuer|113|te mir seine Liebe. – Er wird es wohl gemerkt haben, daß wir den Brief gelesen. – Mag er doch; wenn er nur kömmt. Er kömmt doch gewiß? – Bloß ein wenig zu viel Stolz, Franciska, scheint mir in seiner
25 Aufführung zu seyn. Denn auch seiner Geliebten sein Glück nicht wollen zu danken haben, ist Stolz, unverzeihlicher Stolz! Wenn er mir diesen zu stark merken läßt, Franciska –

30 FRANCISKA.
So wollen Sie seiner entsagen?

DAS FRÄULEIN.
Ey, sieh doch! Jammert er dich nicht schon wieder? Nein, liebe Närrinn, Eines Fehlers wegen entsagt man keinem Manne. Nein; aber ein Streich ist mir beygefallen, ihn 5 wegen dieses Stolzes mit ähnlichem Stolze ein wenig zu martern.

FRANCISKA.
Nun da müssen Sie ja recht sehr ruhig seyn, mein 10 Fräulein, wenn Ihnen schon wieder Streiche beyfallen.

DAS FRÄULEIN.
Ich bin es auch; komm nur. Du wirst deine Rolle dabey zu spielen haben. *(sie gehen herein)*

15

*Ende des dritten Aufzugs.*

## Vierter Aufzug.

### Erster Auftritt.

*(Die Scene, das Zimmer des Fräuleins)*

Das Fräulein. *(völlig, und reich, aber mit Geschmack gekleidet)*
10 Franciska. *(sie stehen vom Tische auf, den ein Bedienter abräumt.)*

Franciska.
Sie können unmöglich satt seyn, gnädiges Fräulein.

15

Das Fräulein.
Meynst du, Franciska? Vielleicht, daß ich mich nicht hungrig niedersetzte.

20 Franciska.
Wir hatten ausgemacht, seiner währender Mahlzeit nicht zu erwähnen. Aber wir hätten uns auch vornehmen sollen, an ihn nicht zu denken.

25 Das Fräulein.
Wirklich, ich habe an nichts, als an ihn gedacht.

Franciska.
Das merkte ich wohl. Ich fieng von hundert Dingen an
30 zu sprechen, und Sie antwortete mir auf jedes verkehrt. *(ein andrer Bedienter trägt Kaffee auf)* Hier kömmt eine Nah-

rung, bey der man eher Grillen machen kann. Der liebe melancholische Kaffee!

|115| DAS FRÄULEIN.
5 Grillen? Ich mache keine. Ich denke blos der Lection nach, die ich ihm geben will. Hast du mich recht begriffen, Franciska?

FRANCISKA.
10 O ja; am besten aber wäre es, er ersparte sie uns.

DAS FRÄULEIN.
Du wirst sehen, daß ich ihn von Grund aus kenne. Der Mann, der mich ietzt mit allen Reichthümern verweigert,
15 wird mich der ganzen Welt streitig machen, sobald er hört, daß ich unglücklich und verlassen bin.

FRANCISKA. *(sehr ernsthaft)*
Und so was muß die feinste Eigenliebe unendlich kützeln.
20

DAS FRÄULEIN.
Sittenrichterinn! Seht doch! vorhin ertappte sie mich auf Eitelkeit; jetzt auf Eigenliebe. – Nun, laß mich nur, liebe Franciska. Du sollst mit deinem Wachmeister auch
25 machen können, was du willst.

FRANCISKA.
Mit meinem Wachmeister?

30 DAS FRÄULEIN.
Ja, wenn du es vollends leugnest, so ist es richtig. – Ich habe

ihn noch nicht gesehen; aber aus jedem Worte, daß du mir von ihm gesagt hast, prophezeye ich dir deinen Mann.

|116|

5 ZWEYTER AUFTRITT.

RICCAUT DE LA MARLINIERE. DAS FRÄULEIN. FRANCISKA.

RICCAUT. *(noch innerhalb der Scene)*
Est-il permis, Monsieur le Major?

10

FRANCISKA.
Was ist das? Will das zu uns? *(gegen die Thüre gehend)*

RICCAUT.
15 Parbleu! Ik bin unriktig. – Mais non – Ik bin nit unriktig – C'est sa chambre –

FRANCISKA.
Ganz gewiß, gnädiges Fräulein, glaubt dieser Herr, den
20 Major von Tellheim noch hier zu finden.

RICCAUT.
Iß so! – Le Major de Tellheim; juste, ma bel enfant, c'est lui que je cherche. Où est-il?

25

FRANCISKA.
Er wohnt nicht mehr hier.

RICCAUT[.]
30 Comment? nok vor vier un swanzik Stund hier logier? Und logier nit mehr hier? Wo logier er denn?

DAS FRÄULEIN. *(die auf ihn zu kömmt)*
Mein Herr, –

|117| RICCAUT.
5 Ah, Madame, – Mademoiselle – Ihro Gnad verzeih –

DAS FRÄULEIN.
Mein Herr, Ihre Irrung ist sehr zu vergeben, und Ihre Verwunderung sehr natürlich. Der Herr Major hat die
10 Güte gehabt, mir, als einer Fremden, die nicht unter zu kommen wußte, sein Zimmer zu überlassen.

RICCAUT.
Ah voila de ses politesses! C'est un très galant-homme que ce
15 Major!

DAS FRÄULEIN.
Wo er indeß hingezogen, – wahrhaftig, ich muß mich schämen, es nicht zu wissen.
20

RICCAUT.
Ihro Gnad nit wiß? C'est dommage; j'en suis faché.

DAS FRÄULEIN.
25 Ich hätte mich allerdings darnach erkundigen sollen. Freylich werden ihn seine Freunde noch hier suchen.

RICCAUT.
Ik bin sehr von seine Freund, Ihro Gnad –
30

DAS FRÄULEIN.
Franciska, weißt du es nicht?

FRANCISKA.
5 Nein, gnädiges Fräulein.

|118| RICCAUT.
Ik hätt ihn zu sprek, sehr nothwendik. Ik komm ihm bringen eine Nouvelle, davon er sehr fröhlik seyn wird.

10

DAS FRÄULEIN.
Ich bedauere um so viel mehr. – Doch hoffe ich, vielleicht bald, ihn zu sprechen. Ist es gleichviel, aus wessen Munde er diese gute Nachricht erfährt, so erbiete ich mich, mein Herr – –

15

RICCAUT.
Ik versteh. – Mademoiselle parle françois? Mais sans doute; telle que je la vois! – La demande etoit bien impolie; Vous me pardonnerés, Mademoiselle. –

20

DAS FRÄULEIN.
Mein Herr –

RICCAUT.
25 Nit? Sie sprek nit Französisch, Ihro Gnad?

DAS FRÄULEIN.
Mein Herr, in Frankreich würde ich es zu sprechen suchen. Aber warum hier? Ich höre ja, daß Sie mich ver-
30 stehen, mein Herr. Und ich, mein Herr, werde Sie gewiß auch verstehen; sprechen Sie, wie es Ihnen beliebt.

RICCAUT.
Gutt, gutt! Ik kann auk mik auf Deutsch explicier. – Sachés donc, Mademoiselle – |119| Ihro Gnad soll also wiß, daß ik komm von die Tafel bey der Minister – Minister von – Minister von – wie heiß der Minister da draus? – in der lange Straß? – auf die breite Platz? –

DAS FRÄULEIN.
Ich bin hier noch völlig unbekannt.

RICCAUT.
Nun, die Minister von der Kriegsdepartement. – Da haben ik zu Mittag gespeisen; – ik speisen à l'ordinaire bey ihm, – und da iß man gekommen reden auf der Major Tellheim; & le Ministre m'a dit en confidence, car Son Excellence est de mes amis, & il n'y a point de mystéres entre nous – Se. Excellenz, will ik sag, haben mir vertrau, daß die Sak von unserm Major sey auf den Point zu enden, und gutt zu enden. Er habe gemakt ein Rapport an den Könik, und der Könik habe darauf resolvir, tout-à-fait en faveur du Major. – Monsieur, m'a dit Son Excellence, Vous comprenés bien, que tout depend de la maniere, dont on fait envisager les choses au Roi, & Vous me connoissés. Cela fait un très-joli garçon que ce Tellheim, & ne sais-je pas que Vous l'aimés? Les amis de mes amis sont aussi les |120| miens. Il coute un peu cher au Roi ce Tellheim, mais est-ce que l'on sert les Rois pour rien? Il faut s'entr'aider en ce monde; & quand il s'agit de pertes, que ce soit le Roi, qui en fasse, & non pas un honnet-homme de nous autres. Voilà le principe, dont je ne me depars jamais. – Was sag Ihro Gnad hierzu? Nit wahr, das iß ein brav Mann? Ah que Son Excellence a le coeur bien placé! Er hat mir au reste

versiker, wenn der Major nit schon bekommen habe une Lettre de la main – eine Könikliken Handbrief, – daß er heut infalliblement müsse bekommen einen.

5 DAS FRÄULEIN.
Gewiß mein Herr, diese Nachricht wird dem Major von Tellheim höchst angenehm seyn. Ich wünschte nur, ihm den Freund zugleich mit Namen nennen zu können, der so viel Antheil an seinem Glücke nimmt –

10

RICCAUT.
Mein Namen wünscht Ihro Gnad? – Vous voyés en moi – Ihro Gnad seh in mik le Chevalier Riccaut de la Marliniere, Seigneur de Pret-au-val, de la Branche de Prensd'or. – Ihro
15 Gnad steh verwundert, mik aus so ein groß, groß Familie zu hören, qui est veritablement du |121| sang Royal. – Il faut le dire; je suis sans doute le Cadet le plus avantureux, que la maison a jamais eu – Ik dien von meiner elfte Jahr. Ein Affaire d'honneur makte mik fliehen. Darauf haben ik gedienet
20 Sr. Päbstlichen Eilikheit, der Republick St. Marino, der Kron Pohlen, und den Staaten-General, bis ik endlik bin worden gezogen hierher. Ah, Mademoiselle, que je voudrois n'avoir jamais vû ce pais-la! Hätte man mik gelaß im Dienst von den Staaten-General, so müßt ik nun seyn, aufs
25 wenikst Oberst. Aber so hier immer und ewik Capitaine geblieben, und nun gar seyn ein abgedankte Capitaine –

DAS FRÄULEIN.
Das ist viel Unglück.

30

RICCAUT.
Oui, Mademoiselle, me voilà reformé, & par-là mis sur le pavé!

5 DAS FRÄULEIN.
Ich beklage sehr.

RICCAUT.
Vous étes bien bonne, Mademoiselle – Nein, man kenn sik
10 hier nit auf den Verdienst. Einen Mann, wie mik, zu reformir! Einen Mann, der sik nok dazu in diesem Dienst hat rouinir! – Ik haben dabey sugesetzt, mehr als swanzik tausend Livres. Was hab ik nun? Tran|122|chons le mot; je n'ai pas le sou, & me voilà exactement vis-à-vis du rien. –
15

DAS FRÄULEIN.
Es thut mir ungemein leid.

RICCAUT.
20 Vous étes bien bonne, Mademoiselle. Aber wie man pfleg zu sagen: ein jeder Unglück schlepp nak sik seine Bruder; qu'un malheur ne vient jamais seul: so mit mir arrivir. Was ein Honnet-homme von mein Extraction kann anders haben für Resource, als das Spiel? Nun hab ik immer gespielen mit
25 Glück, so lang ik hatte nit von nöthen der Glück. Nun ik ihr hätte von nöthen, Mademoiselle, je joue avec un guignon, qui surpasse toute croyance. Seit funfsehn Tag iß vergangen keine, wo sie mik nit hab gesprenkt. Nok gestern habe sie mik gesprenkt dreymal. Je sais bien, qu'il y avoit quelque
30 chose de plus que le jeu. Car parmi mes pontes se trouvoient certaines Dames – Ik will niks weiter sag. Man muß seyn

galant gegen die Damen. Sie haben auk mik heut invitir, mir zu geben revanche; mais – Vous m'entendés, Mademoiselle – Man muß erst wiß, wovon leben; ehe man haben kann, wovon zu spielen –

|123| DAS FRÄULEIN.
Ich will nicht hoffen, mein Herr –

RICCAUT.
Vous étes bien bonne, Mademoiselle –

DAS FRÄULEIN. *(nimmt die Franciska bey Seite)*
Franciska, der Mann tauert mich im Ernste. Ob er mir es wohl übel nehmen würde, wenn ich ihm etwas anböthe?

FRANCISKA.
Der sieht mir nicht darnach aus.

DAS FRÄULEIN.
Gut! – Mein Herr, ich höre, – daß Sie spielen; daß Sie Bank machen; ohne Zweifel an Orten, wo etwas zu gewinnen ist. Ich muß Ihnen bekennen, daß ich – gleichfalls das Spiel sehr liebe, –

RICCAUT.
Tant mieux, Mademoiselle, tant mieux! Tous les gens d'esprit aiment le jeu à la fureur.

DAS FRÄULEIN.
Daß ich sehr gern gewinne; sehr gern mein Geld mit einem Mann wage, der – zu spielen weiß. – Wären Sie

wohl geneigt, mein Herr, mich in Gesellschaft zu nehmen? mir einen Antheil an Ihrer Bank zu gönnen?

RICCAUT.
5 Comment, Mademoiselle, Vous voulés étre de moitié avec moi? De tout mon coeur.

|124| DAS FRÄULEIN.
Vors erste, nur mit einer Kleinigkeit – *(geht und langt Geld*
10 *aus ihrer Schatulle)*

RICCAUT.
Ah, Mademoiselle, que Vous étes charmante! –

15 DAS FRÄULEIN.
Hier habe ich, was ich ohnlängst gewonnen; nur zehn Pistolen – Ich muß mich zwar schämen, so wenig –

RICCAUT.
20 Donnés toujours, Mademoiselle, donnés *(nimmt es)*

DAS FRÄULEIN.
Ohne Zweifel, daß Ihre Bank, mein Herr, sehr ansehnlich ist –

25

RICCAUT.
Ja wohl sehr ansehnlik. Sehn Pistol? Ihr Gnad soll seyn dafür interessir bey meiner Bank auf ein Dreytheil, pour le tiers. Swar auf ein Dreytheil sollen seyn – etwas mehr. Dok
30 mit einer schöne Damen muß man es nehmen nit so genau. Ik gratulir mik, zu kommen dadurk in liaison mit

Ihro Gnad, & de ce moment je recommence à bien augurer de ma fortune.

DAS FRÄULEIN.
5 Ich kann aber nicht dabey seyn, wenn Sie spielen, mein Herr.

RICCAUT.
Was brauk Ihro Gnad dabey su seyn? Wir andern Spieler
10 sind ehrlike Leut unter einander.

|125| DAS FRÄULEIN.
Wenn wir glücklich sind, mein Herr, so werden Sie mir meinen Antheil schon bringen. Sind wir aber unglück-
15 lich –

RICCAUT.
So komm ik hohlen Rekruten. Nit wahr, Ihro Gnad?

20 DAS FRÄULEIN.
Auf die Länge dürften die Rekruten fehlen. Vertheidigen Sie unser Geld daher ja wohl, mein Herr.

RICCAUT.
25 Wo für seh mik Ihro Gnad an? Für ein Einfalspinse? für ein dumme Teuff?

DAS FRÄULEIN.
Verzeihen Sie mir –

30

RICCAUT.
Je suis des Bons, Mademoiselle. Savés-vous ce que cela veut dire? Ik bin von die Ausgelernt –

5 DAS FRÄULEIN.
Aber doch wohl, mein Herr –

RICCAUT.
Je sais monter un coup –

10

DAS FRÄULEIN. *(verwundernd)*
Sollten Sie?

RICCAUT.
15 Je file la carte avec une adresse –

DAS FRÄULEIN.
Nimmermehr!

20 RICCAUT.
Je fais sauter la coupe avec une dexterité –

|126| DAS FRÄULEIN.
Sie werden doch nicht, mein Herr? –

25

RICCAUT.
Was nit? Ihro Gnade, was nit? Donnés-moi un pigeonneau à plumer, & –

30 DAS FRÄULEIN.
Falsch spielen? betrügen?

RICCAUT.
Comment, Mademoiselle? Vous appellés cela betrügen? Corriger la fortune, l'enchainer sous ses doits, etre sûr de son fait, das nenn die Deutsch betrügen? betrügen! O, was ist die deutsch Sprak für ein arm Sprak! für ein plump Sprak!

DAS FRÄULEIN.
Nein, mein Herr, wenn Sie so denken –

RICCAUT.
Laissés-moi faire, Mademoiselle, und seyn Sie ruhik? Was gehn Sie an, wie ik spiel? – Gnug, morgen entweder sehn mik wieder Ihro Gnad mit hundert Pistol, oder seh mik wieder gar nit. – Votre très-humble, Mademoiselle, votre très-humble – *(eilends ab)*

DAS FRÄULEIN. *(die ihm mit Erstaunen und Verdruß nachsieht)*
Ich wünsche das letzte, mein Herr, das letzte!

|127|

## DRITTER AUFTRITT.
DAS FRÄULEIN. FRANCISKA.

FRANCISKA. *(erbittert)*
Kann ich noch reden? O schön! o schön!

DAS FRÄULEIN.
Spotte nur; ich verdiene es. *(nach einem kleinen Nachdenken, und gelassener)* Spotte nicht, Franciska; ich verdiene es nicht.

FRANCISKA.
Vortrefflich! da haben Sie etwas allerliebstes gethan; einen Spitzbuben wieder auf die Beine geholfen.

5 DAS FRÄULEIN.
Es war einem Unglücklichen zugedacht.

FRANCISKA.
Und was das beste dabey ist: der Kerl hält Sie für seines
10 gleichen. – O ich muß ihm nach, und ihm das Geld wieder abnehmen. *(will fort.)*

DAS FRÄULEIN.
Franciska, laß den Kaffee nicht vollends kalt werden;
15 schenk ein.

FRANCISKA.
Er muß es Ihnen wiedergeben; Sie haben Sich anders besonnen; Sie wollen mit ihm nicht in Gesellschaft spielen. Zehn
20 Pistolen! Sie hörten ja, Fräulein, daß es ein Bettler |128| war! *(das Fräulein schenkt indeß selbst ein)* Wer wird einem Bettler so viel geben? Und ihm noch dazu die Erniedrigung, es erbettelt zu haben, zu ersparen suchen? Den Mildthätigen, der den Bettler aus Großmuth verkennen will, verkennt der
25 Bettler wieder. Nun mögen Sie es haben, Fräulein, wenn er Ihre Gabe, ich weiß nicht wofür, ansieht. – *(und reicht der Franciska eine Tasse)* Wollen Sie mir das Blut noch mehr in Wallung bringen? Ich mag nicht trinken. *(das Fräulein setzt sie wieder weg)* – „Parbleu, Ihro Gnad, man kenn sik hier nit auf
30 den Verdienst“ *(in dem Tone des Franzosen)* Freylich nicht, wenn man die Spitzbuben so ungehangen herumlauffen läßt.

DAS FRÄULEIN. *(kalt und nachdenkend, indem sie trinkt)*
Mädchen, du verstehst dich so trefflich auf die guten Menschen: aber, wenn willst du die schlechten ertragen lernen? – Und sie sind doch auch Menschen. – Und öfters bey weitem so schlechte Menschen nicht, als sie scheinen. – Man muß ihre gute Seite nur aufsuchen. – Ich bilde mir ein, dieser Franzose ist nichts als eitel. Aus blosser Eitelkeit macht er sich zum falschen |129| Spieler; er will mir nicht verbunden scheinen; er will sich den Dank ersparen. Vielleicht, daß er nun hingeht, seine kleine Schulden bezahlt, von dem Reste, so weit er reicht, still und sparsam lebt, und an das Spiel nicht denkt. Wenn das ist, liebe Franciska, so laß ihn Rekruten hohlen, wenn er will. – *(giebt ihr die Tasse)* Da, setz weg! – Aber, sage mir, sollte Tellheim nicht schon da seyn?

FRANCISKA.
Nein, gnädiges Fräulein; ich kann beides nicht; weder an einem schlechten Menschen die gute, noch an einem guten Menschen die böse Seite aufsuchen.

DAS FRÄULEIN.
Er kömmt doch ganz gewiß? –

FRANCISKA.
Er sollte wegbleiben! – Sie bemerken an ihm, an ihm, dem besten Manne, ein wenig Stolz, und darum wollen Sie ihn so grausam necken?

DAS FRÄULEIN.
Kömmst du da wieder hin? – Schweig, das will ich nun einmal so. Wo du mir diese Lust verdirbst; wo du nicht

alles sagst und thust, wie wir es abgeredet haben! – Ich |130| will dich schon allein mit ihm lassen; und dann – – Jetzt kömmt er wohl.

5

## VIERTER AUFTRITT.

PAUL WERNER, *(der in einer steifen Stellung, gleichsam im Dienste, hereintritt)* DAS FRÄULEIN. FRANCISKA.

10 FRANCISKA.
Nein, es ist nur sein lieber Wachmeister.

DAS FRÄULEIN.
Lieber Wachmeister? Auf wen bezieht sich dieses Lieber?

15

FRANCISKA.
Gnädiges Fräulein, machen Sie mir den Mann nicht verwirrt. – Ihre Dienerinn, Herr Wachmeister; was bringen Sie uns?

20 WERNER. *(geht, ohne auf die Franciska zu achten, an das Fräulein)*
Der Major von Tellheim läßt an das gnädige Fräulein von Barnhelm durch mich, den Wachmeister Werner, seinen unterthänigen Respekt vermelden, und sagen, daß er sogleich hier seyn werde.

25

DAS FRÄULEIN.
Wo bleibt er denn?

|131| WERNER.
30 Ihro Gnaden werden verzeihen; wir sind, noch vor dem Schlage drey, aus dem Quartier gegangen; aber da hat ihn

der Kriegszahlmeister unterwegens angeredt; und weil mit dergleichen Herren des Redens immer kein Ende ist: so gab er mir einen Wink, dem gnädigen Fräulein den Vorfall zu rapportiren.

5

DAS FRÄULEIN.
Recht wohl, Herr Wachmeister. Ich wünsche nur, daß der Kriegszahlmeister dem Major etwas angenehmes möge zu sagen haben.

10

WERNER.
Das haben dergleichen Herren den Officieren selten. – Haben Ihro Gnaden etwas zu befehlen? *(im Begriffe wieder zu gehen)*

15

FRANCISKA.
Nun, wo denn schon wieder hin, Herr Wachmeister? Hätten wir denn nichts mit einander zu plaudern?

20 WERNER. *(sachte zur Franciska, und ernsthaft)*
Hier nicht, Frauenzimmerchen. Es ist wider den Respeckt, wider die Subordination. – Gnädiges Fräulein –

DAS FRÄULEIN.
25 Ich danke für seine Bemühung, Herr Wachmeister. – Es ist mir lieb |132| gewesen, Ihn kennen zu lernen. Franciska hat mir viel gutes von Ihm gesagt.

*(Werner macht eine steife Verbeugung, und geht ab)*

30

## FÜNFTER AUFTRITT.
DAS FRÄULEIN. FRANCISKA.

DAS FRÄULEIN.
5 Das ist dein Wachmeister, Franciska?

FRANCISKA.
Wegen des spöttischen Tones habe ich nicht Zeit, dieses Dein nochmals aufzumutzen. – – Ja, gnädiges Fräulein,
10 das ist mein Wachmeister. Sie finden ihn, ohne Zweifel, ein wenig steif und hölzern. Jetzt kam er mir fast auch so vor. Aber ich merke wohl; er glaubte, vor Ihro Gnaden, auf die Parade ziehen zu müssen. Und wenn die Soldaten paradiren, – ja freylich scheinen sie da mehr Drechsler-
15 puppen, als Männer. Sie sollten ihn hingegen nur sehn und hören, wenn er sich selbst gelassen ist.

DAS FRÄULEIN.
Das müßte ich denn wohl!

20

|133| FRANCISKA.
Er wird noch auf dem Saale seyn. Darf ich nicht gehn, und ein wenig mit ihm plaudern?

25 DAS FRÄULEIN.
Ich versage dir ungern dieses Vergnügen. Du mußt hier bleiben, Franciska. Du mußt bey unserer Unterredung gegenwärtig seyn. – Es fällt mir noch etwas bey. *(Sie zieht ihren Ring vom Finger)* Da, nimm meinen Ring, verwahre
30 ihn, und gieb mir des Majors seinen dafür.

FRANCISKA.
Warum das?

DAS FRÄULEIN. *(indem Franciska den andern Ring hohlt)*
5 Recht weiß ich es selbst nicht; aber mich dünkt, ich sehe so etwas voraus, wo ich ihn brauchen könnte. – Man pocht – Geschwind gieb her! *(sie steckt ihn an)* Er ists!

## 10 SECHSTER AUFTRITT.

v. TELLHEIM, *(in dem nehmlichen Kleide, aber sonst so, wie es Franciska verlangt)* DAS FRÄULEIN. FRANCISKA.

v. TELLHEIM.
15 Gnädiges Fräulein, Sie werden mein Verweilen entschuldigen. –

|134| DAS FRÄULEIN.
O, Herr Major, so gar militairisch wollen wir es mit einan-
20 der nicht nehmen. Sie sind ja da! Und ein Vergnügen erwarten, ist auch ein Vergnügen. – Nun? *(indem sie ihm lächelnd ins Gesicht sieht)* lieber Tellheim, waren wir nicht vorhin Kinder?

25 v. TELLHEIM.
Ja wohl Kinder, gnädiges Fräulein; Kinder, die sich sperren, wo sie gelassen folgen sollten.

DAS FRÄULEIN.
30 Wir wollen ausfahren, lieber Major, – die Stadt ein wenig zu besehen, – und hernach, meinem Oheim entgegen.

v. TELLHEIM.
Wie?

DAS FRÄULEIN.
Sehen Sie; auch das Wichtigste haben wir einander noch nicht sagen können. Ja, er trift noch heut hier ein. Ein Zufall ist Schuld, daß ich, einen Tag früher, ohne ihn angekommen bin.

v. TELLHEIM.
Der Graf von Bruchsall? Ist er zurück?

DAS FRÄULEIN.
Die Unruhen des Krieges verscheuchten ihn nach Italien; der Friede hat ihn wieder zurückgebracht. – Machen Sie Sich keine |135| Gedanken, Tellheim. Besorgten wir schon ehemals das stärkste Hinderniß unsrer Verbindung von seiner Seite –

v. TELLHEIM.
Unserer Verbindung?

DAS FRÄULEIN.
Er ist Ihr Freund. Er hat von zu vielen, zu viel Gutes von Ihnen gehört, um es nicht zu seyn. Er brennet, den Mann von Antlitz zu kennen, den seine einzige Erbinn gewählt hat. Er kömmt als Oheim, als Vormund, als Vater, mich Ihnen zu übergeben.

v. TELLHEIM.
Ah, Fräulein, warum haben Sie meinen Brief nicht gelesen? Warum haben Sie ihn nicht lesen wollen?

DAS FRÄULEIN.
Ihren Brief? Ja, ich erinnere mich, Sie schickten mir einen. Wie war es denn mit diesem Briefe, Franciska? Haben wir ihn gelesen, oder haben wir ihn nicht gelesen? Was schrieben Sie mir denn, lieber Tellheim? –

v. TELLHEIM.
Nichts, als was mir die Ehre befiehlt.

DAS FRÄULEIN.
Das ist, ein ehrliches Mädchen, die Sie liebt, nicht sitzen zu lassen. Frey|136|lich befiehlt das die Ehre. Gewiß ich hätte den Brief lesen sollen. Aber was ich nicht gelesen habe, das höre ich ja.

v. TELLHEIM.
Ja, Sie sollen es hören –

DAS FRÄULEIN.
Nein, ich brauch es auch nicht einmal zu hören. Es versteht sich von selbst. Sie könnten eines so häßlichen Streiches fähig seyn, daß Sie mich nun nicht wollten? Wissen Sie, daß ich auf Zeit meines Lebens beschimpft wäre? Meine Landsmänninnen würden mit Fingern auf mich weisen. – „Das ist sie, würde es heißen, das ist das Fräulein von Barnhelm, die sich einbildete, weil sie reich sey, den wackern Tellheim zu bekommen: als ob die wackern Männer für Geld zu haben wären!“ So würde es heißen: denn meine Landsmänninnen sind alle neidisch auf mich. Daß ich reich bin, können sie nicht leugnen; aber davon wollen sie nichts wissen; daß ich auch sonst

noch ein ziemlich gutes Mädchen bin, das seines Mannes werth ist. Nicht wahr, Tellheim?

v. TELLHEIM.

5 Ja, ja, gnädiges Fräulein, daran erkenne ich Ihre Landsmänninnen. Sie werden Ihnen einen abgedankten, an seiner |137| Ehre gekränkten Officier, einen Kriepel, einen Bettler trefflich beneiden.

10 DAS FRÄULEIN.

Und das alles wären Sie? Ich hörte so was, wenn ich mich nicht irre, schon heute Vormittage. Da ist Böses und Gutes unter einander. Lassen Sie uns doch jedes näher beleuchten. – Verabschiedet sind Sie? So höre ich. Ich glaubte, Ihr 15 Regiment sey blos untergesteckt worden. Wie ist es gekommen, daß man einen Mann von Ihren Verdiensten nicht beybehalten?

v. TELLHEIM.

20 Es ist gekommen, wie es kommen müssen. Die Großen haben sich überzeugt, daß ein Soldat aus Neigung für sie ganz wenig; aus Pflicht nicht vielmehr: aber alles seiner eignen Ehre wegen thut. Was können sie ihm also schuldig zu seyn glauben? Der Friede hat ihnen mehrere mei- 25 nes gleichen entbehrlich gemacht; und am Ende ist ihnen niemand unentbehrlich.

DAS FRÄULEIN.

Sie sprechen, wie ein Mann sprechen muß, dem die 30 Großen hinwiederum sehr entbehrlich sind. Und niemals waren sie es mehr, als ietzt. Ich sage den Großen meinen

großen |138| Dank, daß sie ihre Ansprüche auf einen Mann haben fahren lassen, den ich doch nur sehr ungern mit ihnen getheilet hätte. – Ich bin Ihre Gebietherinn, Tellheim; Sie brauchen weiter keinen Herrn. – Sie verabschiedet zu
5 finden, das Glück hätte ich mir kaum träumen lassen! – Doch Sie sind nicht blos verabschiedet: Sie sind noch mehr. Was sind Sie noch mehr? Ein Kriepel: sagten Sie? Nun, *(indem sie ihn von oben bis unten betrachtet)* der Kriepel ist doch noch ziemlich ganz und gerade; scheinet doch noch
10 ziemlich gesund und stark. – Lieber Tellheim, wenn Sie auf den Verlust Ihrer gesunden Gliedmaaßen betteln zu gehen denken: so prophezeye ich Ihnen voraus, daß Sie vor den wenigsten Thüren etwas bekommen werden; ausgenommen vor den Thüren der gutherzigen Mädchen, wie ich.

15

v. TELLHEIM.
Jetzt höre ich nur das muthwillige Mädchen, liebe Minna.

DAS FRÄULEIN.
20 Und ich höre in Ihrem Verweise nur das Liebe Minna. – Ich will nicht mehr muthwillig seyn. Denn ich besinne mich, daß Sie allerdings ein kleiner Kriepel sind. Ein |139| Schuß hat Ihnen den rechten Arm ein wenig gelähmt. – Doch alles wohl überlegt: so ist auch das so schlimm nicht.
25 Um so viel sichrer bin ich vor Ihren Schlägen.

v. TELLHEIM.
Fräulein!

30 DAS FRÄULEIN.
Sie wollen sagen: Aber Sie um so viel weniger vor meinen.

Nun, nun, lieber Tellheim, ich hoffe, Sie werden es nicht dazu kommen lassen.

v. TELLHEIM.

5 Sie wollen lachen, mein Fräulein. Ich beklage nur, daß ich nicht mit lachen kann.

DAS FRÄULEIN.

Warum nicht? Was haben Sie denn gegen das Lachen? 10 Kann man denn auch nicht lachend sehr ernsthaft seyn? Lieber Major, das Lachen erhält uns vernünftiger, als der Verdruß. Der Beweis liegt vor uns. Ihre lachende Freundinn beurtheilet Ihre Umstände weit richtiger, als Sie selbst. Weil Sie verabschiedet sind, nennen Sie Sich an 15 Ihrer Ehre gekränkt: weil Sie einen Schuß in dem Arme haben, machen Sie Sich zu einem Kriepel. Ist das so recht? Ist das keine Uebertreibung? Und ist es |140| meine Einrichtung, daß alle Uebertreibungen des Lächerlichen so fähig sind? Ich wette, wenn ich Ihren Bettler nun vorneh-20 me, daß auch dieser eben so wenig Stich halten wird. Sie werden einmal, zweymal, dreymal Ihre Equipage verloren haben; bey dem oder jenem Banquier werden einige Kapitale ietzt mit schwinden; Sie werden diesen und jenen Vorschuß, den Sie im Dienste gethan, keine Hoffnung 25 haben, wiederzuerhalten: aber sind Sie darum ein Bettler? Wenn Ihnen auch nichts übrig geblieben ist, als was mein Oheim für Sie mitbringt –

v. TELLHEIM.

30 Ihr Oheim, gnädiges Fräulein, wird für mich nichts mitbringen.

DAS FRÄULEIN.
Nichts, als die zweytausend Pistolen, die Sie unsern Ständen so großmüthig vorschoßen.

5 v. TELLHEIM.
Hätten Sie doch nur meinen Brief gelesen, gnädiges Fräulein!

DAS FRÄULEIN.
10 Nun ja, ich habe ihn gelesen. Aber was ich über diesen Punkt darinn gelesen, ist mir ein wahres Räthsel. Unmöglich kann man Ihnen aus einer edlen Handlung ein Verbrechen |141| machen wollen. – Erklären Sie mir doch, lieber Major –

15

v. TELLHEIM.
Sie erinnern Sich, gnädiges Fräulein, daß ich Ordre hatte, in den Aemtern Ihrer Gegend die Kontribution mit der äußersten Strenge baar beyzutreiben. Ich wollte mir diese
20 Strenge ersparen, und schoß die fehlende Summe selbst vor. –

DAS FRÄULEIN.
Ja wohl erinnere ich mich. – Ich liebte Sie um dieser That
25 willen, ohne Sie noch gesehen zu haben.

v. TELLHEIM.
Die Stände gaben mir ihren Wechsel, und diesen wollte ich, bey Zeichnung des Friedens, unter die zu ratihabiren-
30 de Schulden eintragen lassen. Der Wechsel ward für gültig erkannt, aber mir ward das Eigenthum desselben streitig

gemacht. Man zog spöttisch das Maul, als ich versicherte, die Valute baar hergegeben zu haben. Man erklärte ihn für eine Bestechung, für das Gratial der Stände, weil ich sobald mit ihnen auf die niedrigste Summe einig geworden war, mit der ich mich nur im äußersten Nothfall zu begnügen, Vollmacht hatte. So kam der |142| Wechsel aus meinen Händen, und wenn er bezahlt wird, wird er sicherlich nicht an mich bezahlt. – Hierdurch, mein Fräulein, halte ich meine Ehre für gekränkt; nicht durch den Abschied, den ich gefordert haben würde, wenn ich ihn nicht bekommen hätte. – Sie sind ernsthaft, mein Fräulein? Warum lachen Sie nicht? Ha, ha, ha! Ich lache ja.

DAS FRÄULEIN.
O, ersticken Sie dieses Lachen, Tellheim! Ich beschwöre Sie! Es ist das schreckliche Lachen des Menschenhasses! Nein, Sie sind der Mann nicht, den eine gute That reuen kann, weil sie üble Folgen für ihn hat. Nein, unmöglich können diese üble Folgen dauren! Die Wahrheit muß an den Tag kommen. Das Zeugniß meines Oheims, aller unsrer Stände –

V. TELLHEIM.
Ihres Oheims! Ihrer Stände! Ha, ha, ha!

DAS FRÄULEIN.
Ihr Lachen tödtet mich, Tellheim! Wenn Sie an Tugend und Vorsicht glauben, Tellheim, so lachen Sie so nicht! Ich habe nie fürchterlicher fluchen hören, als Sie lachen. – Und lassen Sie uns das Schlimmste setzen! Wenn |143| man Sie hier durchaus verkennen will: so kann man Sie

bey uns nicht verkennen. Nein, wir können, wir werden Sie nicht verkennen, Tellheim. Und wenn unsere Stände die geringste Empfindung von Ehre haben, so weiß ich was sie thun müssen. Doch ich bin nicht klug: was wäre das nöthig? Bilden Sie Sich ein, Tellheim, Sie hätten die zweytausend Pistolen an einem wilden Abende verloren. Der König war eine unglückliche Karte für Sie: die Dame *(auf sich weisend)* wird Ihnen desto günstiger seyn. – Die Vorsicht, glauben Sie mir, hält den ehrlichen Mann immer schadlos; und öfters schon im voraus. Die That, die Sie einmal um zweytausend Pistolen bringen sollte, erwarb mich Ihnen. Ohne diese That, würde ich nie begierig gewesen seyn, Sie kennen zu lernen. Sie wissen, ich kam uneingeladen in die erste Gesellschaft, wo ich Sie zu finden glaubte. Ich kam blos Ihrentwegen. Ich kam in dem festen Vorsatze, Sie zu lieben, – ich liebte Sie schon! – in dem festen Vorsatze, Sie zu besitzen, wenn ich Sie auch so schwarz und häßlich finden sollte, als den Mohr von Venedig. |144| Sie sind so schwarz und häßlich nicht; auch so eifersüchtig werden Sie nicht seyn. Aber Tellheim, Tellheim, Sie haben doch noch viel ähnliches mit ihm! O, über die wilden, unbiegsamen Männer, die nur immer ihr stieres Auge auf das Gespenst der Ehre heften! für alles andere Gefühl sich verhärten! – Hierher Ihr Auge! auf mich, Tellheim! *(der indeß vertieft, und unbeweglich, mit starren Augen immer auf eine Stelle gesehen)* Woran denken Sie? Sie hören mich nicht?

v. TELLHEIM. *(zerstreut)*
O ja! Aber sagen Sie mir doch, mein Fräulein: wie kam der Mohr in Venetianische Dienste? Hatte der Mohr kein

Vaterland? Warum vermiethete er seinen Arm und sein Blut einem fremden Staate? –

DAS FRÄULEIN. *(erschrocken)*
5 Wo sind Sie, Tellheim? – Nun ist es Zeit, daß wir abbrechen; – Kommen Sie! *(indem Sie ihn bey der Hand ergreift)* – Franciska, laß den Wagen vorfahren.

V. TELLHEIM. *(der sich von dem Fräulein los reißt und der Franciska nachgeht)*
10
Nein, Franciska; ich kann nicht die Ehre haben, das Fräulein zu begleiten. – Mein Fräulein, lassen Sie mir noch |145| heute meinen gesunden Verstand, und beurlauben Sie mich. Sie sind auf dem besten Wege, mich darum
15 zu bringen. Ich stemme mich, so viel ich kann. – Aber weil ich noch bey Verstande bin: so hören Sie, mein Fräulein, was ich fest beschlossen habe; wovon mich nichts in der Welt abbringen soll. – Wenn nicht noch ein glücklicher Wurf für mich im Spiele ist, wenn sich das
20 Blatt nicht völlig wendet, wenn –

DAS FRÄULEIN.
Ich muß Ihnen ins Wort fallen, Herr Major. – Das hätten wir Ihm gleich sagen sollen, Franciska. Du erinnerst mich
25 auch an gar nichts. – Unser Gespräch würde ganz anders gefallen seyn, Tellheim, wenn ich mit der guten Nachricht angefangen hätte, die Ihnen der Chevalier de la Marliniere nur eben zu bringen kam.

30 V. TELLHEIM.
Der Chevalier de la Marliniere? Wer ist das?

FRANCISKA.
Es mag ein ganz guter Mann seyn, Herr Major, bis auf –

DAS FRÄULEIN.
5 Schweig, Franciska! – Gleichfalls ein verabschiedeter Officier, der aus Holländischen Diensten –

|146| V. TELLHEIM.
Ha! der Lieutenant Riccaut!
10

DAS FRÄULEIN.
Er versicherte, daß er Ihr Freund sey.

V. TELLHEIM.
15 Ich versichere, daß ich seiner nicht bin.

DAS FRÄULEIN.
Und daß ihm, ich weiß nicht welcher Minister vertrauet habe, Ihre Sache sey dem glücklichsten Ausgange nahe.
20 Es müsse ein Königliches Handschreiben an Sie unterwegens seyn. –

V. TELLHEIM.
Wie kämen Riccaut und ein Minister zusammen? – Etwas
25 zwar muß in meiner Sache geschehen seyn. Denn nur ietzt erklärte mir der Kriegszahlmeister, daß der König alles niedergeschlagen habe, was wider mich urgiret worden; und daß ich mein schriftlich gegebenes Ehrenwort, nicht eher von hier zu gehen, als bis man mich völlig
30 entladen habe, wieder zurücknehmen könne. – Das wird es aber auch alles seyn. Man wird mich wollen lauffen

lassen. Allein man irrt sich; ich werde nicht lauffen. Eher soll mich hier das äusserste Elend, vor den Augen meiner Verleumder, verzehren –

5 |147| DAS FRÄULEIN.
Hartnäckiger Mann!

V. TELLHEIM.
Ich brauche keine Gnade; ich will Gerechtigkeit. Meine
10 Ehre –

DAS FRÄULEIN.
Die Ehre eines Mannes, wie Sie –

15 V. TELLHEIM. *(hitzig)*
Nein, mein Fräulein, Sie werden von allen Dingen recht gut urtheilen können, nur hierüber nicht. Die Ehre ist nicht die Stimme unsers Gewissen, nicht das Zeugniß weniger Rechtschaffnen – –

20

DAS FRÄULEIN.
Nein, nein, ich weiß wohl. – Die Ehre ist – die Ehre.

V. TELLHEIM.
25 Kurz, mein Fräulein, – Sie haben mich nicht ausreden lassen. – Ich wollte sagen: wenn man mir das Meinige so schimpflich vorenthält, wenn meiner Ehre nicht die vollkommenste Genugthuung geschieht; so kann ich, mein Fräulein, der Ihrige nicht seyn. Denn ich bin es in den Augen der Welt
30 nicht werth, zu seyn. Das Fräulein von Barnhelm verdienet einen unbescholtenen Mann. Es ist eine nichtswürdige Liebe,

die kein Bedenken trägt, ihren Gegenstand der Verachtung auszusetzen. Es ist ein nichts|148|würdiger Mann, der sich nicht schämet, sein ganzes Glück einem Frauenzimmer zu verdanken, dessen blinde Zärtlichkeit –

5

DAS FRÄULEIN.
Und das ist Ihr Ernst, Herr Major? – *(indem sie ihm plötzlich den Rücken wendet)* Franciska!

10 V. TELLHEIM.
Werden Sie nicht ungehalten, mein Fräulein –

DAS FRÄULEIN. *(bey Seite zur Franciska)*
Jetzt wäre es Zeit! Was räthst du mir, Franciska? –

15

FRANCISKA.
Ich rathe nichts. Aber freylich macht er es Ihnen ein wenig zu bunt. –

20 V. TELLHEIM. *(der sie zu unterbrechen kömmt)*
Sie sind ungehalten, mein Fräulein –

DAS FRÄULEIN. *(höhnisch)*
Ich? im geringsten nicht.

25

V. TELLHEIM.
Wenn ich Sie weniger liebte, mein Fräulein –

DAS FRÄULEIN. *(noch in diesem Tone)*
30 O gewiß, es wäre mein Unglück! – Und sehen Sie, Herr Major, ich will Ihr Unglück auch nicht. – Man muß ganz

uneigennützig lieben. – Eben so gut, daß ich nicht offenherziger gewesen bin! Vielleicht |149| würde mir Ihr Mitleid gewähret haben, was mir Ihre Liebe versagt. – *(indem sie den Ring langsam vom Finger zieht)*

5

V. TELLHEIM.
Was meynen Sie damit, Fräulein?

DAS FRÄULEIN.
10 Nein, keines muß das andere, weder glücklicher noch unglücklicher machen. So will es die wahre Liebe! Ich glaube Ihnen, Herr Major; und Sie haben zu viel Ehre, als daß Sie die Liebe verkennen sollten.

15 V. TELLHEIM.
Spotten Sie, mein Fräulein?

DAS FRÄULEIN.
Hier! nehmen Sie den Ring wieder zurück, mit dem Sie
20 mir Ihre Treue verpflichtet. *(überreicht ihm den Ring)* Es sey drum! Wir wollen einander nicht gekannt haben!

V. TELLHEIM.
Was höre ich?

25

DAS FRÄULEIN.
Und das befremdet Sie? – Nehmen Sie, mein Herr. – Sie haben Sich doch wohl nicht blos gezieret?

30 V. TELLHEIM[.] *(indem er den Ring aus ihrer Hand nimmt)*
Gott! So kann Minna sprechen! –

DAS FRÄULEIN.
Sie können der Meinige in Einem Falle nicht seyn: ich kann die Ihrige, in |150| keinem seyn. Ihr Unglück ist wahrscheinlich; meines ist gewiß: – Leben Sie wohl! *(will*
5 *fort)*

V. TELLHEIM.
Wohin, liebste Minna? –

10 DAS FRÄULEIN.
Mein Herr, Sie beschimpfen mich ietzt mit dieser vertraulichen Benennung.

V. TELLHEIM.
15 Was ist Ihnen, mein Fräulein? Wohin?

DAS FRÄULEIN.
Lassen Sie mich. – Meine Thränen vor Ihnen zu verbergen, Verräther! *(geht ab)*
20

## SIEBENDER AUFTRITT.
V. TELLHEIM. FRANCISKA.

25 V. TELLHEIM.
Ihre Thränen? Und ich sollte Sie lassen? *(will ihr nach)*

FRANCISKA. *(die ihn zurückhält)*
Nicht doch, Herr Major! Sie werden ihr ja nicht in ihr
30 Schlafzimmer folgen wollen?

v. TELLHEIM.
Ihr Unglück? Sprach Sie nicht von Unglück?

FRANCISKA.
Nun freylich; das Unglück, Sie zu verlieren, nachdem –

|151| v. TELLHEIM.
Nachdem? was nachdem? Hier hinter steckt mehr. Was ist es, Franciska? Rede, sprich –

FRANCISKA.
Nachdem sie, wollte ich sagen, – Ihnen so vieles aufgeopfert.

v. TELLHEIM.
Mir aufgeopfert?

FRANCISKA.
Hören Sie nur kurz. – Es ist für Sie recht gut, Herr Major, daß Sie auf diese Art von ihr los gekommen sind. – Warum soll ich es Ihnen nicht sagen? Es kann doch länger kein Geheimniß bleiben. – Wir sind entflohen! – Der Graf von Bruchsall hat das Fräulein enterbt, weil sie keinen Mann von seiner Hand annehmen wollte. Alles verließ, alles verachtete sie hierauf. Was sollten wir thun? Wir entschlossen uns denjenigen aufzusuchen, dem wir –

v. TELLHEIM.
Ich habe genug! – Komm, ich muß mich zu Ihren Füssen werffen.

FRANCISKA.
Was denken Sie? Gehen Sie vielmehr, und danken Ihrem guten Geschicke –

5 v. TELLHEIM.
Elende! für wen hältst du mich? – Nein, liebe Franciska, der Rath kam nicht aus deinem Herzen. Vergieb meinem Unwillen!

10 |152| FRANCISKA.
Halten Sie mich nicht länger auf. Ich muß sehen, was sie macht. Wie leicht könnte ihr etwas zugestossen seyn. – Gehen Sie! Kommen Sie lieber wieder, wenn Sie wieder kommen wollen.

15

*(geht dem Fräulein nach)*

## ACHTER AUFTRITT.

20 VON TELLHEIM.

Aber, Franciska! – O, ich erwarte euch hier! – Nein, das ist dringender! – Wenn sie Ernst sieht, kann mir ihre Vergebung nicht entstehen. – Nun brauch ich dich, ehrli-
25 cher Werner! – Nein, Minna, ich bin kein Verräther! *(eilends ab)*

*Ende des vierten Aufzuges.*

## Fünfter Aufzug.

### Erster Auftritt.

*(Die Scene, der Saal)*

v. Tellheim *von der einen und*
10 Werner *von der andern Seite.*

v. Tellheim.
Ha, Werner! ich suche dich überall. Wo steckst du?

15 |153| Werner.
Und ich habe Sie gesucht, Herr Major; so gehts mit dem Suchen. – Ich bringe Ihnen gar eine gute Nachricht.

v. Tellheim.
20 Ah, ich brauche ictzt nicht deine Nachrichten; ich brauche dein Geld. Geschwind, Werner, gieb mir so viel du hast; und denn suche so viel aufzubringen, als du kannst.

Werner.
25 Herr Major? – Nun, bey meiner armen Seele, habe ichs doch gesagt: er wird Geld von mir borgen, wenn er selber welches zu verleihen hat.

v. Tellheim.
30 Du suchst doch nicht Ausflüchte?

WERNER.
Damit ich ihm nichts vorzuwerffen habe, so nimmt er mirs mit der Rechten, und giebt mirs mit der Linken wieder.

5 v. TELLHEIM.
Halte mich nicht auf, Werner! – Ich habe den guten Willen, dir es wieder zu geben; aber wenn und wie? – Das weiß Gott!

10 WERNER.
Sie wissen es also noch nicht, daß die Hofstaatskasse Ordre hat, Ihnen Ihre Gelder zu bezahlen? Eben erfuhr ich es bey –

v. TELLHEIM.
15 Was plauderst du? Was lässest du dir weiß machen? Begreifst du denn nicht, daß, |154| wenn es wahr wäre, ich es doch wohl am ersten wissen müßte? – Kurz, Werner, Geld! Geld!

WERNER.
20 Je nu, mit Freuden! hier ist was! – Das sind die hundert Louisdor, und daß die hundert Dukaten. – *(giebt ihm beides)*

v. TELLHEIM.
Die hundert Louisdor, Werner, geh und bringe Justen. Er
25 soll sogleich den Ring wieder einlösen, den er heute früh versetzt hat. – Aber wo wirst du mehr hernehmen, Werner? – Ich brauche weit mehr.

WERNER.
30 Dafür lassen Sie mich sorgen. – Der Mann, der mein Gut gekauft hat, wohnt in der Stadt. Der Zahlungstermin wäre

zwar erst in vierzehn Tagen; aber das Geld liegt parat, und ein halb Procentchen Abzug –

v. TELLHEIM.
Nun ja, lieber Werner! – Siehst du, daß ich meine einzige Zuflucht zu dir nehme? – Ich muß dir auch alles vertrauen. Das Fräulein hier, – du hast sie gesehn, – ist unglücklich –

WERNER.
O Jammer!

v. TELLHEIM.
Aber morgen ist sie meine Frau –

WERNER.
O Freude!

|155| v. TELLHEIM.
Und über morgen, geh ich mit ihr fort. Ich darf fort; ich will fort. Lieber hier alles im Stiche gelassen! Wer weiß, wo mir sonst ein Glück aufgehoben ist. Wenn du willst, Werner, so komm mit. Wir wollen wieder Dienste nehmen.

WERNER.
Wahrhaftig? – Aber doch wos Krieg giebt, Herr Major?

v. TELLHEIM.
Wo sonst? – Geh, lieber Werner, wir sprechen davon weiter.

WERNER.
O Herzensmajor! – Ueber morgen? Warum nicht lieber mor-

T. ist bereit, nach vollzogener Heirat sofort in den Krieg zu ziehen...

gen? – Ich will schon alles zusammenbringen. – In Persien, Herr Major, giebts einen trefflichen Krieg; was meynen Sie?

v. TELLHEIM.
Wir wollen das überlegen! geh nur, Werner! –

WERNER.
Juchhe! es lebe der Prinz Heraklius! *(geht ab)*

## ZWEYTER AUFTRITT.
VON TELLHEIM.

Wie ist mir? – Meine ganze Seele hat neue Triebfedern bekommen. Mein eignes Unglück |156| schlug mich nieder; machte mich ärgerlich, kurzsichtig, schüchtern, läßig: ihr Unglück hebt mich empor, ich sehe wieder frey um mich, und fühle mich willig und stark, alles für sie zu unternehmen – Was verweile ich? *(will nach dem Zimmer des Fräuleins, aus dem ihm Franciska entgegen kömmt.)*

## DRITTER AUFTRITT.
FRANCISKA. V. TELLHEIM.

FRANCISKA.
Sind Sie es doch? – Es war mir, als ob ich Ihre Stimme hörte. – Was wollen Sie, Herr Major?

v. TELLHEIM.
Was ich will? – Was macht dein Fräulein? – Komm! –

FRANCISKA.
Sie will den Augenblick ausfahren.

v. TELLHEIM.
5 Und allein? ohne mich? wohin?

FRANCISKA.
Haben Sie vergeßen, Herr Major? –

10 v. TELLHEIM.
Bist du nicht klug, Franciska? – Ich habe sie gereitzt, und sie ward empfindlich: ich werde sie um Vergebung bitten, und sie wird mir vergeben.

15 |157| FRANCISKA.
Wie? – Nachdem Sie den Ring zurückgenommen, Herr Major?

v. TELLHEIM.
20 Ha! – das that ich in der Betäubung. – Jetzt denk ich erst wieder an den Ring. – Wo habe ich ihn hingesteckt? – *(er sucht ihn)* Hier ist er.

FRANCISKA.
25 Ist er das? *(indem er ihn wieder einsteckt, bey Seite)* Wenn er ihn doch genauer besehen wollte!

v. TELLHEIM.
Sie drang mir ihn auf, mit einer Bitterkeit – Ich habe diese
30 Bitterkeit schon vergeßen. Ein volles Herz kann die Worte nicht wägen. – Aber sie wird sich auch keinen

Augenblick weigern, den Ring wieder anzunehmen. – Und habe ich nicht noch ihren?

FRANCISKA.
5 Den erwartet sie dafür zurück. – Wo haben Sie ihn denn, Herr Major? Zeigen Sie mir ihn doch.

V. TELLHEIM. *(etwas verlegen)*
Ich habe – ihn anzustecken vergeßen. – Just – Just wird
10 mir ihn gleich nachbringen.

|158| FRANCISKA.
Es ist wohl einer ziemlich wie der andere; lassen Sie mich doch diesen sehen; ich sehe so was gar zu gern.
15

V. TELLHEIM.
Ein andermal, Franciska. Jetzt komm –

FRANCISKA. *(bey Seite)*
20 Er will sich durchaus nicht aus seinem Irrthume bringen lassen.

V. TELLHEIM.
Was sagst du? Irrthume?

25 FRANCISKA.
Es ist ein Irrthum, sag ich, wenn Sie meynen, daß das Fräulein doch noch eine gute Partie sey. Ihr eigenes Vermögen ist gar nicht beträchtlich; durch ein wenig eigennützige Rechnungen, können es ihr die Vormünder
30 völlig zu Wasser machen. Sie erwartete alles von dem Oheim; aber dieser grausame Oheim –

v. TELLHEIM.
Laß ihn doch! – Bin ich nicht Manns genug, ihr einmal alles zu ersetzen? –

5 FRANCISKA.
Hören Sie? Sie klingelt; ich muß herein.

v. TELLHEIM.
Ich gehe mit dir.

10

FRANCISKA.
Um des Himmels willen nicht! Sie hat mir ausdrücklich verbothen, mit Ihnen |159| zu sprechen. Kommen Sie wenigstens mir erst nach. – *(geht herein)*

15

## VIERTER AUFTRITT.
v. TELLHEIM.

20 *(ihr nachruffend)* Melde mich ihr! – Sprich für mich, Franciska! – Ich folge dir sogleich! – Was werde ich ihr sagen? – Wo das Herz reden darf, braucht es keiner Vorbereitung. – Das einzige möchte eine studierte Wendung bedürfen: ihre Zurückhaltung, ihre Bedenklichkeit, sich als unglück-
25 lich in meine Arme zu werffen; ihre Beflissenheit, mir ein Glück vorzuspiegeln, das sie durch mich verloren hat. Dieses Mißtrauen in meine Ehre, in ihren eigenen Werth, vor ihr selbst zu entschuldigen, vor ihr selbst – Vor mir ist es schon entschuldiget! – Ha! hier kömmt sie. –

30

## Fünfter Auftritt.
Das Fräulein. Franciska. v. Tellheim.

Das Fräulein. *(im Heraustreten, als ob sie den Major nicht gewahr würde)*
Der Wagen ist doch |160| vor der Thüre, Franciska? – Meinen Fächer! –

v. Tellheim. *(auf sie zu)*
Wohin, mein Fräulein?

Das Fräulein. *(mit einer affektirten Kälte)*
Aus, Herr Major. – Ich errathe, warum Sie Sich nochmals her bemühet haben: mir auch meinen Ring wieder zurück zu geben. – Wohl, Herr Major; haben Sie nur die Güte, ihn der Franciska einzuhändigen. – Franciska, nimm dem Herrn Major den Ring ab! – Ich habe keine Zeit zu verlieren. *(will fort)*

v. Tellheim. *(der ihr vortritt)*
Mein Fräulein! – Ah, was habe ich erfahren, mein Fräulein! Ich war so vieler Liebe nicht werth.

Das Fräulein.
So, Franciska? Du hast dem Herrn Major –

Franciska.
Alles entdeckt.

v. Tellheim.
Zürnen Sie nicht auf mich, mein Fräulein. Ich bin kein

Verräther. Sie haben um mich in den Augen der Welt viel verloren, aber nicht in meinen. In meinen Augen haben Sie unendlich durch diesen Verlust gewon|161|nen. Er war Ihnen noch zu neu; Sie fürchteten, er möchte einen allzu-
5 nachtheiligen Eindruck auf mich machen; Sie wollten mir ihn vors erste verbergen. Ich beschwere mich nicht über dieses Mißtrauen. Es entsprang aus dem Verlangen, mich zu erhalten. Dieses Verlangen ist mein Stolz! Sie fanden mich selbst unglücklich; und Sie wollten Unglück nicht mit
10 Unglück häuffen. Sie konnten nicht vermuthen, wie sehr mich Ihr Unglück über das meinige hinaus setzen würde.

DAS FRÄULEIN.
Alles recht gut, Herr Major! Aber es ist nun einmal
15 geschehen. Ich habe Sie Ihrer Verbindlichkeit erlassen; Sie haben durch Zurücknehmung des Ringes –

V. TELLHEIM.
In nichts gewilliget! – Vielmehr halte ich mich ietzt für
20 gebundener, als jemals. – Sie sind die Meinige, Minna, auf ewig die Meinige. *(zieht den Ring heraus)* Hier, empfangen Sie es zum zweytenmale, das Unterpfand meiner Treue –

DAS FRÄULEIN.
25 Ich diesen Ring wiedernehmen? diesen Ring?

V. TELLHEIM.
Ja, liebste Minna, ja!

30 |162| DAS FRÄULEIN.
Was muthen Sie mir zu? diesen Ring?

v. TELLHEIM.
Diesen Ring nahmen Sie das erstemal aus meiner Hand, als unser beider Umstände einander gleich, und glücklich waren. Sie sind nicht mehr glücklich, aber wiederum einander gleich. Gleichheit ist immer das festeste Band der Liebe. – Erlauben Sie, liebste Minna! – *(ergreift ihre Hand, um ihr den Ring anzustecken)*

DAS FRÄULEIN.
Wie? mit Gewalt, Herr Major? – Nein, da ist keine Gewalt in der Welt, die mich zwingen soll, diesen Ring wieder anzunehmen! – – Meynen Sie etwa, daß es mir an einem Ringe fehlt? – O, Sie sehen ja wohl, *(auf ihren Ring zeigend)* daß ich hier noch einen habe, der Ihrem nicht das geringste nachgiebt? –

FRANCISKA.
Wenn er es noch nicht merckt! –

v. TELLHEIM. *(indem er die Hand des Fräuleins fahren läßt)*
Was ist das? – Ich sehe das Fräulein von Barnhelm, aber ich höre es nicht. – Sie zieren Sich, mein Fräulein. – Vergeben Sie, daß ich Ihnen dieses Wort nachbrauche.

|163| DAS FRÄULEIN. *(in ihrem wahren Tone)*
Hat Sie dieses Wort beleidiget, Herr Major?

v. TELLHEIM.
Es hat mir weh gethan.

DAS FRÄULEIN. *(gerührt)*
Das sollte es nicht, Tellheim. – Verzeihen Sie mir, Tellheim.

v. TELLHEIM.
5 Ha, dieser vertrauliche Ton sagt mir, daß Sie wieder zu Sich kommen, mein Fräulein; daß Sie mich noch lieben, Minna. –

FRANCISKA. *(herausplatzend)*
10 Bald wäre der Spaß auch zu weit gegangen. –

DAS FRÄULEIN. *(gebiehterisch)*
Ohne dich in unser Spiel zu mengen, Franciska, wenn ich bitten darf! –

15

FRANCISKA. *(bey Seite und betroffen)*
Noch nicht genug?

DAS FRÄULEIN.
20 Ja, mein Herr; es wäre weibliche Eitelkeit, mich kalt und höhnisch zu stellen. Weg damit! Sie verdienen es, mich eben so wahrhaft zu finden, als Sie selbst sind. – Ich liebe Sie noch, Tellheim, ich liebe Sie noch; aber dem ohngeachtet –

25 |164| v. TELLHEIM.
Nicht weiter, liebste Minna, nicht weiter! *(ergreift ihre Hand nochmals, ihr den Ring anzustecken)*

DAS FRÄULEIN. *(die ihre Hand zurück zieht)*
30 Dem ohngeachtet, – um so vielmehr werde ich dieses nimmermehr geschehen lassen; nimmermehr! – Wo

denken Sie hin, Herr Major? – Ich meynte, Sie hätten an Ihrem eigenen Unglücke genug. – Sie müssen hier bleiben; Sie müssen Sich die allervollständigste Genugthuung – ertrotzen. Ich weiß in der Geschwindigkeit kein ander Wort. – Ertrotzen, – und sollte Sie auch das äusserste Elend, vor den Augen Ihrer Verleumder, darüber verzehren!

v. TELLHEIM.

So dacht ich, so sprach ich, als ich nicht wußte, was ich dachte und sprach. Aergerniß und verbißene Wuth hatten meine ganze Seele umnebelt; die Liebe selbst, in dem vollesten Glanze des Glückes, konnte sich darinn nicht Tag schaffen. Aber sie sendet ihre Tochter, das Mitleid, die, mit dem finstern Schmerze vertrauter, die Nebel zerstreuet, und alle Zugänge meiner Seele den Eindrücken der Zärtlichkeit wiederum |165| öfnet. Der Trieb der Selbsterhaltung erwacht, da ich etwas Kostbarers zu erhalten habe, als mich, und es durch mich zu erhalten habe. Lassen Sie Sich, mein Fräulein, das Wort Mittleid nicht beleidigen. Von der unschuldigen Ursache unsers Unglücks, können wir es ohne Erniedrigung hören. Ich bin diese Ursache; durch mich, Minna, verlieren Sie Freunde und Anverwandte, Vermögen und Vaterland. Durch mich, in mir müssen Sie alles dieses wiederfinden, oder ich habe das Verderben der Liebenswürdigsten Ihres Geschlechts auf meiner Seele. Lassen Sie mich keine Zukunft denken, wo ich mich selbst hassen müßte. – Nein, nichts soll mich hier länger halten. Von diesem Augenblicke an, will ich dem Unrechte, das mir hier wiederfährt, nichts als Verachtung entgegen setzen. Ist dieses Land die Welt? Geht hier allein die Sonne auf? Wo darf ich nicht hinkommen? Welche

Dienste wird man mir verweigern? Und müßte ich sie unter dem entferntesten Himmel suchen: folgen Sie mir nur getrost, liebste Minna; es soll uns an nichts fehlen. – Ich habe einen Freund, der mich gern unterstützet. –

|166|

## SECHSTER AUFTRITT.
EIN FELDJÄGER. V. TELLHEIM.
DAS FRÄULEIN. FRANCISKA.

FRANCISKA. *(indem sie den Feldjäger gewahr wird)*
St! Herr Major –

V. TELLHEIM. *(gegen den Feldjäger)*
Zu wem wollen Sie?

DER FELDJÄGER.
Ich suche den Herrn Major von Tellheim. – Ah, Sie sind es ja selbst. Mein Herr Major, dieses Königliche Handschreiben *(das er aus seiner Brieftasche nimmt)* habe ich an Sie zu übergeben.

V. TELLHEIM.
An mich?

DER FELDJÄGER.
Zufolge der Aufschrift –

DAS FRÄULEIN.
Franciska, hörst du? – Der Chevalier hat doch wahr geredet!

DER FELDJÄGER. *(indem Tellheim den Brief nimmt)*
Ich bitte um Verzeihung, Herr Major; Sie hätten es bereits gestern erhalten sollen; aber es ist mir nicht möglich gewesen, Sie auszufragen. Erst heute, auf der Parade, habe
5 ich Ihre Wohnung von dem Lieutenant Riccaut erfahren.

|167| FRANCISKA.
Gnädiges Fräulein, hören Sie? – Das ist des Chevaliers Minister. – „Wie heissen der Minister, da draus, auf die
10 breite Platz?" –

V. TELLHEIM.
Ich bin Ihnen für Ihre Mühe sehr verbunden.

15 DER FELDJÄGER.
Es ist meine Schuldigkeit, Herr Major. *(geht ab)*

## SIEBENDER AUFTRITT.

20 V. TELLHEIM. DAS FRÄULEIN. FRANCISKA.

V. TELLHEIM.
Ah, mein Fräulein, was habe ich hier? Was enthält dieses Schreiben?

25

DAS FRÄULEIN.
Ich bin nicht befugt, meine Neugierde so weit zu erstrecken.

30 V. TELLHEIM.
Wie? Sie trennen mein Schicksal noch von dem Ihrigen? – Aber warum steh ich an, es zu erbrechen? – Es kann mich

nicht unglücklicher machen, als ich bin; nein, liebste Minna, es kann uns nicht unglücklicher machen; – wohl aber glücklicher! – Erlauben Sie, mein Fräulein! *(erbricht und lieset den Brief, indeß daß der Wirth an die Scene geschlichen kömmt)*

5

|168|

## ACHTER AUFTRITT.

DER WIRTH. DIE VORIGEN.

10 DER WIRTH. *(gegen die Franciska)*
Bst! mein schö[n]es Kind! auf ein Wort!

FRANCISKA. *(die sich ihm nähert)*
Herr Wirth? – Gewiß, wir wissen selbst noch nicht, was
15 in dem Briefe steht.

DER WIRTH.
Wer will vom Briefe wissen? – Ich komme des Ringes wegen. Das gnädige Fräulein muß mir ihn gleich wieder-
20 geben. Just ist da, er soll ihn wieder einlösen.

DAS FRÄULEIN. *(die sich indeß gleichfalls dem Wirthe genähert)*
Sagen Sie Justen nur, daß er schon eingelöset sey; und sagen Sie ihm nur von wem; von mir.

25

DER WIRTH.
Aber –

DAS FRÄULEIN.
30 Ich nehme alles auf mich; gehen Sie doch!

*(der Wirth geht ab)*

## Neunter Auftritt.

v. Tellheim. Das Fräulein. Franciska.

Franciska.
5 Und nun, gnädiges Fräulein, lassen Sie es mit dem armen Major gut seyn.

|169| Das Fräulein.
O, über die Vorbitterinn! Als ob der Knoten sich nicht von
10 selbst bald lösen müßte.

v. Tellheim. *(nachdem er gelesen, mit der lebhaftesten Rührung)*
Ha! er hat sich auch hier nicht verleugnet! – O, mein Fräulein, welche Gerechtigkeit! – Welche Gnade! – Das
15 ist mehr, als ich erwartet! – Mehr, als ich verdiene! – Mein Glück, meine Ehre, alles ist wiederhergestellt! – Ich träume doch nicht? *(indem er wieder in den Brief sieht, als um sich nochmals zu überzeugen)* Nein, kein Blendwerk meiner Wünsche! – Lesen Sie selbst, mein Fräulein; lesen Sie
20 selbst!

Das Fräulein.
Ich bin nicht so unbescheiden, Herr Major.

25 v. Tellheim.
Unbescheiden? Der Brief ist an mich; an ihren Tellheim, Minna. Er enthält, – was Ihnen Ihr Oheim nicht nehmen kann. Sie müssen ihn lesen; lesen Sie doch!

30 Das Fräulein.
Wenn Ihnen ein Gefalle damit geschieht, Herr Major –

*(sie nimmt den Brief und lieset)*
„Mein lieber Major von Tellheim!
Ich thue Euch zu wissen, daß der Handel, der mich um Eure Ehre besorgt |170| machte, sich zu Eurem Vortheil aufgekläret hat. Mein Bruder war des nähern davon unterrichtet, und sein Zeugniß hat Euch für mehr als unschuldig erkläret. Die Hofstaatskasse hat Ordre, Euch den bewußten Wechsel wieder auszuliefern, und die gethanen Vorschüße zu bezahlen; auch habe ich befohlen, daß alles, was die Feldkriegskassen wider Eure Rechnungen urgiren, niedergeschlagen werde. Meldet mir, ob Euch Eure Gesundheit erlaubet, wieder Dienste zu nehmen. Ich möchte nicht gern einen Mann von Eurer Bravour und Denkungsart entbehren. Ich bin Euer wohlaffektionirter König ec.[“]

V. TELLHEIM.
Nun, was sagen Sie hierzu, mein Fräulein?

DAS FRÄULEIN. *(indem sie den Brief wieder zusammenschlägt, und zurückgiebt)*
Ich? nichts.

V. TELLHEIM.
Nichts?

Das Fräulein.
Doch ja: daß Ihr König, der ein großer Mann ist, auch wohl ein guter |171| Mann seyn mag. – Aber was geht mich das an? Er ist nicht mein König.

v. TELLHEIM.
Und sonst sagen Sie nichts? Nichts von Rücksicht auf uns selbst?

5 DAS FRÄULEIN.
Sie treten wieder in seine Dienste; der Herr Major wird Oberstlieutenant, Oberster vielleicht. Ich gratuliere von Herzen.

10 v. TELLHEIM.
Und Sie kennen mich nicht besser? – Nein, da mir das Glück soviel zurückgiebt, als genug ist, die Wünsche eines vernünftigen Mannes zu befriedigen, soll es einzig von meiner Minna abhangen, ob ich sonst noch jemanden
15 wieder zugehören soll, als ihr. Ihrem Dienste allein sey mein ganzes Leben gewidmet! Die Dienste der Großen sind gefährlich, und lohnen der Mühe, des Zwanges, der Erniedrigung nicht, die sie kosten. Minna ist keine von den Eiteln, die in ihren Männern nichts als den Titel und die
20 Ehrenstelle lieben. Sie wird mich um mich selbst lieben; und ich werde um sie die ganze Welt vergessen. Ich ward Soldat, aus Partheylichkeit ich weiß selbst nicht für welche politische Grundsätze, und aus der Grille, daß es für jeden ehrlichen |172| Mann gut sey, sich in diesem Stande eine
25 Zeitlang zu versuchen, um sich mit allem, was Gefahr heißt, vertraulich zu machen, und Kälte und Entschlossenheit zu lernen. Nur die äußerste Noth hätte mich zwingen können, aus diesem Versuche eine Bestimmung, aus dieser gelegentlichen Beschäftigung ein Handwerk zu
30 machen. Aber nun, da mich nichts mehr zwingt, nun ist mein ganzer Ehrgeitz wiederum einzig und allein, ein

ruhiger und zufriedener Mensch zu seyn. Der werde ich mit Ihnen, liebste Minna, unfehlbar werden; der werde ich in Ihrer Gesellschaft unveränderlich bleiben. – Morgen verbinde uns das heiligste Band; und sodann wollen wir
5 um uns sehen, und wollen in der ganzen weiten bewohnten Welt den stillsten, heitersten, lachendsten Winkel suchen, dem zum Paradiese nichts fehlt, als ein glückliches Paar. Da wollen wir wohnen; da soll jeder unsrer Tage – Was ist Ihnen, mein Fräulein? *(die sich unruhig hin und*
10 *herwendet, und ihre Rührung zu verbergen sucht)*

DAS FRÄULEIN. *(sich faßend)*
Sie sind sehr grausam, Tellheim, mir ein Glück so reitzend dar|173|zustellen, dem ich entsagen muß. Mein Verlust –
15

V. TELLHEIM.
Ihr Verlust? – Was nennen Sie Ihren Verlust? Alles, was Minna verlieren konnte, ist nicht Minna. Sie sind noch das süsseste, lieblichste, holdseligste, beste Geschöpf unter der
20 Sonne; ganz Güte und Großmuth, ganz Unschuld und Freude! – Dann und wann ein kleiner Muthwille; hier und da ein wenig Eigensinn – Desto beßer! desto beßer! Minna wäre sonst ein Engel, den ich mit Schaudern verehren müßte, den ich nicht lieben könnte. *(ergreift ihre Hand,*
25 *sie zu küßen)*

DAS FRÄULEIN. *(die ihre Hand zurück zieht)*
Nicht so, mein Herr! – Wie auf einmal so verändert? – Ist dieser schmeichelnde, stürmische Liebhaber der kalte
30 Tellheim? – Konnte nur sein wiederkehrendes Glück ihn in dieses Feuer setzen? – Er erlaube mir, daß ich, bey

seiner fliegenden Hitze, für uns beide Ueberlegung behalte – Als er selbst überlegen konnte, hörte ich ihn sagen; es sey eine nichtswürdige Liebe, die kein Bedenken trage, ihren Gegenstand der Verachtung auszusetzen. – Recht;
5 aber ich bestrebe mich einer eben so reinen |174| und edeln Liebe, als er. – Jetzt, da ihn die Ehre ruft, da sich ein großer Monarch um ihn bewirbt, sollte ich zugeben, daß er sich verliebten Träumereyen mit mir überließe? daß der ruhmvolle Krieger in einen tändelnden Schäfer ausarte?
10 – Nein, Herr Major, folgen Sie dem Wink Ihres bessern Schicksals –

V. TELLHEIM.
Nun wohl! Wenn Ihnen die große Welt reitzender ist,
15 Minna, – wohl! so behalte uns die große Welt! – Wie klein, wie armselig ist diese große Welt! – Sie kennen sie nur erst von ihrer Flitterseite. Aber gewiß, Minna, Sie werden – Es sey! Bis dahin, wohl! Es soll Ihren Vollkommenheiten nicht an Bewundrern fehlen, und meinem
20 Glücke wird es nicht an Neidern gebrechen.

DAS FRÄULEIN.
Nein, Tellheim, so ist es nicht gemeynt! Ich weise Sie in die große Welt, auf die Bahn der Ehre zurück, ohne Ihnen
25 dahin folgen zu wollen. – Dort braucht Tellheim eine unbescholtene Gattinn! Ein Sächsisches verlauffenes Fräulein, das sich ihm an den Kopf geworffen –

|175| V. TELLHEIM. *(auffahrend und wild um sich sehend)*
30 Wer darf so sprechen? – Ah, Minna, ich erschrecke vor mir selbst, wenn ich mir vorstelle, daß jemand anders

dieses gesagt hätte, als Sie. Meine Wuth gegen ihn würde ohne Grenzen seyn.

DAS FRÄULEIN.
5 Nun da! Das eben besorge ich. Sie würden nicht die geringste Spötterey über mich dulden, und doch würden Sie täglich die bittersten einzunehmen haben. – Kurz; hören Sie also, Tellheim, was ich fest beschlossen, wovon mich nichts in der Welt abbringen soll –

10

V. TELLHEIM.
Ehe Sie ausreden, Fräulein, – ich beschwöre Sie, Minna! – überlegen Sie es noch einen Augenblick, daß Sie mir das Urtheil über Leben und Tod sprechen! –

15

DAS FRÄULEIN.
Ohne weitere Ueberlegung! –So gewiß ich Ihnen den Ring zurückgegeben, mit welchem Sie mir ehemals Ihre Treue verpflichtet, so gewiß Sie diesen nehmlichen Ring
20 zurückgenommen: so gewiß soll die unglückliche Barnhelm die Gattinn des glücklichern Tellheims nie werden!

|176| V. TELLHEIM.
Und hiermit brechen Sie den Stab, Fräulein?

25

DAS FRÄULEIN.
Gleichheit ist allein das feste Band der Liebe. – Die glückliche Barnhelm wünschte, nur für den glücklichen Tellheim zu leben. Auch die unglückliche Minna hätte
30 sich endlich überreden lassen, das Unglück ihres Freundes durch sich, es sey zu vermehren, oder zu lindern – Er

bemerkte es ja wohl, ehe dieser Brief ankam, der alle Gleichheit zwischen uns wieder aufhebt, wie sehr zum Schein ich mich nur noch weigerte.

5 V. TELLHEIM.
Ist das wahr, mein Fräulein? – Ich danke Ihnen, Minna, daß Sie den Stab noch nicht gebrochen. – Sie wollen nur den unglücklichen Tellheim? Er ist zu haben. *(kalt)* Ich empfinde eben, daß es mir unanständig ist, diese späte
10 Gerechtigkeit anzunehmen; daß es besser seyn wird, wenn ich das, was man durch einen so schimpflichen Verdacht entehret hat, gar nicht wiederverlange. – Ja; ich will den Brief nicht bekommen haben. Das sey alles, was ich darauf antworte und thue! *(im Begriffe, ihn zu zerreißen)*
15

|177| DAS FRÄULEIN. *(das ihm in die Hände greift)*
Was wollen Sie, Tellheim?

V. TELLHEIM.
20 Sie besitzen.

DAS FRÄULEIN.
Halten Sie!

25 V. TELLHEIM.
Fräulein, er ist unfehlbar zerrissen, wenn Sie nicht bald Sich anders erklären. – Alsdann wollen wir doch sehen, was Sie noch wider mich einzuwenden haben!

30 DAS FRÄULEIN.
Wie? in diesem Tone? – So soll ich, so muß ich in meinen

eigenen Augen verächtlich werden? Nimmermehr! Es ist eine nichtswürdige Kreatur, die sich nicht schämet, ihr ganzes Glück der blinden Zärtlichkeit eines Mannes zu verdanken!

5 v. TELLHEIM.
Falsch, grundfalsch!

DAS FRÄULEIN.
Wollen Sie es wagen, Ihre eigene Rede in meinem Munde
10 zu schelten?

v. TELLHEIM.
Sophistinn! So entehrt sich das schwächere Geschlecht durch alles, was dem stärkern nicht ansteht? So soll sich
15 der Mann alles erlauben, was dem Weibe geziemet? Welches bestimmte die Natur zur Stütze des andern?

|178| DAS FRÄULEIN.
Beruhigen Sie Sich, Tellheim! – Ich werde nicht ganz
20 ohne Schutz seyn, wenn ich schon die Ehre des Ihrigen ausschlagen muß. So viel muß mir immer noch werden, als die Noth erfodert. Ich habe mich bey unserm Gesandten melden lassen. Er will mich noch heute sprechen. Hoffentlich wird er sich meiner annehmen. Die Zeit
25 verfließt. Erlauben Sie, Herr Major –

v. TELLHEIM.
Ich werde Sie begleiten, gnädiges Fräulein. –

30 DAS FRÄULEIN.
Nicht doch, Herr Major; lassen Sie mich –

V. TELLHEIM.
Eher soll Ihr Schatten Sie verlassen! Kommen Sie nur, mein Fräulein, wohin Sie wollen; zu wem Sie wollen. Ueberall, an Bekannte und Unbekannte, will ich es erzehlen, in Ihrer Gegenwart des Tages hundertmal erzehlen, welche Bande Sie an mich verknüpfen, aus welchem grausamen Eigensinne, Sie diese Bande trennen wollen –

|179|

## ZEHNTER AUFTRITT.
JUST. DIE VORIGEN.

JUST. *(mit Ungestüm)*
Herr Major! Herr Major!

V. TELLHEIM.
Nun?

JUST.
Kommen Sie doch geschwind, geschwind!

V. TELLHEIM.
Was soll ich? Zu mir her! Sprich, was ists?

JUST.
Hören Sie nur – *(redet ihm heimlich ins Ohr)*

DAS FRÄULEIN. *(indeß bey Seite zur Franciska)*
Merkst du was, Franciska?

FRANCISKA.
O, Sie Unbarmherzige! Ich habe hier gestanden, wie auf Kohlen!

5 v. TELLHEIM. *(zu Justen)*
Was sagst du? – Das ist nicht möglich! – Sie? *(indem er das Fräulein wild anblickt)* – Sag es laut; sag es Ihr ins Gesicht! – Hören Sie doch, mein Fräulein! –

10 JUST.
Der Wirth sagt, das Fräulein von Barnhelm habe den Ring, welchen ich bey ihm |180| versetzt, zu sich genommen; sie habe ihn für den ihrigen erkannt, und wolle ihn nicht wieder herausgeben. –

15
v. TELLHEIM.
Ist das wahr, mein Fräulein? – Nein, das kann nicht wahr seyn!

20 DAS FRÄULEIN. *(lächelnd)*
Und warum nicht, Tellheim? – Warum kann es nicht wahr seyn?

v. TELLHEIM. *(heftig)*
25 Nun, so sey es wahr! – Welch schreckliches Licht, das mir auf einmal aufgegangen! Nun erkenne ich Sie, die Falsche, die Ungetreue!

DAS FRÄULEIN. *(erschrocken)*
30 Wer? wer ist diese Ungetreue?

v. TELLHEIM.
Sie, die ich nicht mehr nennen will!

DAS FRÄULEIN.
5 Tellheim!

v. TELLHEIM.
Vergessen Sie meinen Namen! – Sie kamen hierher, mit mir zu brechen. Es ist klar! – Daß der Zufall so gern dem
10 Treulosen zu Statten kömmt! Er führte Ihnen Ihren Ring in die Hände. Ihre Arglist wußte mir den meinigen zuzuschanzen.

|181| DAS FRÄULEIN.
15 Tellheim, was für Gespenster sehen Sie! Fassen Sie Sich doch, und hören Sie mich.

FRANCISKA. *(vor sich)*
Nun mag Sie es haben!
20

EILFTER AUFTRITT.
WERNER[.] *(mit einem Beutel Gold)* v. TELLHEIM.
DAS FRÄULEIN. FRANCISKA. JUST.
25

WERNER.
Hier bin ich schon, Herr Major –

v. TELLHEIM. *(ohne ihn anzusehen)*
30 Wer verlangt dich? –

WERNER.
Hier ist Geld; tausend Pistolen!

v. TELLHEIM.
5 Ich will sie nicht!

WERNER.
Morgen können Sie, Herr Major, über noch einmal so viel befehlen.

10

v. TELLHEIM.
Behalte dein Geld!

WERNER.
15 Es ist ja Ihr Geld, Herr Major. – Ich glaube, Sie sehen nicht, mit wem Sie sprechen?

v. TELLHEIM.
Weg damit! sag ich.

20

WERNER.
Was fehlt Ihnen? – Ich bin Werner.

|182| v. TELLHEIM.
25 Alle Güte ist Verstellung; alle Dienstfertigkeit Betrug.

WERNER.
Gilt das mir?

30 v. TELLHEIM.
Wie du willst!

WERNER.
Ich habe ja nur Ihren Befehl vollzogen. –

v. TELLHEIM.
So vollziehe auch den, und packe dich! –

WERNER.
Herr Major! *(ärgerlich)* ich bin ein Mensch –

v. TELLHEIM.
Da bist du was rechts!

WERNER.
Der auch Galle hat –

v. TELLHEIM.
Gut! Galle ist noch das beste, was wir haben.

WERNER.
Ich bitte Sie, Herr Major, –

v. TELLHEIM.
Wie vielmal soll ich dir es sagen? Ich brauche dein Geld nicht!

WERNER. *(zornig)*
Nun so brauch es, wer da will! *(indem er ihm den Beutel vor die Füsse wirft, und bey Seite geht)*

DAS FRÄULEIN. *(zur Franciska)*
Ah, liebe Franciska, ich hätte dir folgen sollen. Ich habe

|183| den Scherz zu weit getrieben. – Doch er darf mich ja nur hören – *(auf ihn zugehend)*

FRANCISKA. *(die, ohne dem Fräulein zu antworten, sich Wernern nähert)*
5
Herr Wachmeister –

WERNER. *(mürrisch)*
Geh Sie! –
10

FRANCISKA.
Hu! was sind das für Männer!

DAS FRÄULEIN.
15 Tellheim! – Tellheim! *(der vor Wuth an den Fingern naget, das Gesicht wegwendet, und nichts höret)* – Nein, das ist zu arg! – Hören Sie mich doch! – Sie betriegen Sich! – Ein bloses Mißverständniß, – Tellheim! – Sie wollen Ihre Minna nicht hören? – Können Sie einen solchen Verdacht fassen?
20 – Ich, mit Ihnen brechen wollen? – Ich darum hergekommen? – Tellheim!

## ZWÖLFTER AUFTRITT.

25 ZWEY BEDIENTE, *nach einander, von verschiedenen Seiten über den Saal lauffend.* DIE VORIGEN.

DER EINE BEDIENTE.
Gnädiges Fräulein, Ihro Excellenz, der Graf! –
30

DER ANDERE BEDIENTE.
Er kömmt, gnädiges Fräulein! –

|184| FRANCISKA. *(die ans Fenster gelauffen)*
5 Er ist es! er ist es!

DAS FRÄULEIN.
Ist ers? O nun geschwind, Tellheim –

10 v. TELLHEIM. *(auf einmal zu sich selbst kommend)*
Wer? wer kömmt? Ihr Oheim, Fräulein? dieser grausame Oheim? Lassen Sie ihn nur kommen; lassen Sie ihn nur kommen! – Fürchten Sie nichts! Er soll Sie mit keinem Blicke beleidigen dürffen! Er hat es mit mir zu thun. –
15 Zwar verdienen Sie es um mich nicht –

DAS FRÄULEIN.
Geschwind umarmen Sie mich, Tellheim, und vergessen Sie alles –
20

v. TELLHEIM.
Ha, wenn ich wüßte, daß Sie es bereuen könnten! –

DAS FRÄULEIN.
25 Nein, ich kann es nicht bereuen, mir den Anblick Ihres ganzen Herzens verschaft zu haben! – Ah, was sind Sie für ein Mann! – Umarmen Sie Ihre Minna, ihre glückliche Minna; aber durch nichts glücklicher, als durch Sie! *(sie fällt ihm in die Arme)* Und nun, ihm entgegen! –
30

v. TELLHEIM.
Wem entgegen?

|185| DAS FRÄULEIN.
5 Dem besten Ihrer unbekannten Freunde.

v. TELLHEIM.
Wie?

10 DAS FRÄULEIN.
Dem Grafen, meinem Oheim, meinem Vater, Ihrem Vater: – – Meine Flucht, sein Unwille, meine Enterbung; – hören Sie denn nicht, daß alles erdichtet ist? Leichtgläubiger Ritter!
15

v. TELLHEIM.
Erdichtet? Aber der Ring? der Ring?

DAS FRÄULEIN.
20 Wo haben Sie den Ring, den ich Ihnen zurückgegeben?

v. TELLHEIM.
Sie nehmen ihn wieder? – O, so bin ich glücklich! – Hier Minna! – *(ihn herausziehend)*
25

DAS FRÄULEIN.
So besehen Sie ihn doch erst! – O über die Blinden, die nicht sehen wollen! – Welcher Ring ist es denn? Den ich von Ihnen habe, oder den Sie von mir? – Ist es denn nicht
30 eben der, den ich in den Händen des Wirths nicht lassen wollen?

v. TELLHEIM.
Gott! was seh ich? was hör ich?

Das Fräulein.
5 Soll ich ihn nun wieder nehmen? soll ich? – Geben Sie her, geben Sie |186| her! *(reißt ihm ihn aus der Hand, und steckt ihm ihn selbst an den Finger)* Nun? ist alles richtig?

v. TELLHEIM.
10 Wo bin ich? – *(ihre Hand küssend)* O boshafter Engel! – mich so zu quälen!

DAS FRÄULEIN.
Dieses zur Probe, mein lieber Gemahl, daß Sie mir nie
15 einen Streich spielen sollen, ohne daß ich Ihnen nicht gleich darauf wieder einen spiele. – Denken Sie, daß Sie mich nicht auch gequälet hatten?

v. TELLHEIM.
20 O Komödiantinnen, ich hätte euch doch kennen sollen!

FRANCISKA.
Nein, wahrhaftig; ich bin zur Komödiantinn verdorben. Ich habe gezittert und gebebt, und mir mit der Hand das
25 Maul zuhalten müssen.

DAS FRÄULEIN.
Leicht ist mir meine Rolle auch nicht geworden. – Aber so kommen Sie doch!

30

v. TELLHEIM.
Noch kann ich mich nicht erholen. – Wie wohl, wie ängstlich ist mir! So erwacht man plötzlich aus einem schreckhaften Traume!

5

DAS FRÄULEIN.
Wir zaudern. – Ich höre ihn schon.

|187|

10

## DREYZEHNTER AUFTRITT.

DER GRAF V. BRUCHSALL, *von verschiedenen Bedienten und dem* WIRTHE *begleitet.* DIE VORIGEN.

DER GRAF. *(im hereintreten)*
15 Sie ist doch glücklich angelangt? –

DAS FRÄULEIN. *(die ihm entgegen springt)*
Ah, mein Vater! –

20 DER GRAF.
Da bin ich, liebe Minna! *(sie umarmend)* Aber was, Mädchen? *(indem er den Tellheim gewahr wird)* Vier und zwanzig Stunden erst hier, und schon Bekanntschaft, und schon Gesellschaft?

25

DAS FRÄULEIN.
Rathen Sie, wer es ist? –

DER GRAF.
30 Doch nicht dein Tellheim?

DAS FRÄULEIN.
Wer sonst, als er? – Kommen Sie, Tellheim! *(ihn dem Grafen zuführend)*

DER GRAF.
Mein Herr, wir haben uns nie gesehen. Aber bey dem ersten Anblicke glaubte ich, Sie zu erkennen. Ich wünschte, daß Sie es seyn möchten! – Umarmen Sie mich. – Sie haben meine völlige Hochachtung. Ich bitte um |188| Ihre Freundschaft. – Meine Nichte, meine Tochter liebet Sie –

DAS FRÄULEIN.
Das wissen Sie, mein Vater! – Und ist sie blind, meine Liebe?

DER GRAF.
Nein, Minna; deine Liebe ist nicht blind; aber dein Liebhaber – ist stumm.

V. TELLHEIM. *(sich ihm in die Arme werffend)*
Lassen Sie mich zu mir selbst kommen, mein Vater! –

DER GRAF.
So recht, mein Sohn! Ich höre es; wenn Dein Mund nicht plaudern kann, so kann Dein Herz doch reden. – Ich bin sonst den Officieren von dieser Farbe, *(auf Tellheims Uniform weisend)* eben nicht gut. Doch Sie sind ein ehrlicher Mann, Tellheim; und ein ehrlicher Mann mag stecken, in welchem Kleide er will, man muß ihn lieben.

DAS FRÄULEIN.
O, wenn Sie alles wüßten! –

DER GRAF.
Was hinderts, daß ich nicht alles erfahre? – Wo sind meine Zimmer, Herr Wirth?

5 DER WIRTH.
Wollen Ihro Excellenz nur die Gnade haben, hier herein zu treten.

|189| DER GRAF.
10 Komm Minna! Kommen Sie, Herr Major! *(geht mit dem Wirthe und den Bedienten ab)*

DAS FRÄULEIN.
Kommen Sie, Tellheim!

15

V. TELLHEIM.
Ich folge Ihnen den Augenblick, mein Fräulein. Nur noch ein Wort mit diesem Manne! *(gegen Wernern sich wendend)*

20 DAS FRÄULEIN.
Und ja ein recht gutes; mich dünkt, Sie haben es nöthig. – Franciska, nicht wahr? *(dem Grafen nach)*

25 VIERZEHNTER AUFTRITT.
V. TELLHEIM. WERNER. JUST. FRANCISKA.

V. TELLHEIM. *(auf den Beutel weisend, den Werner weggeworffen)*
Hier, Just! – hebe den Beutel auf, und trage ihn nach
30 Hause. Geh! – *(Just damit ab)*

WERNER. *(der noch immer mürrisch im Winkel gestanden, und an nichts Theil zu nehmen geschienen; indem er das hört)*
Ja, nun!

|190| v. Tellheim. *(vertraulich, auf ihn zugehend)*
Werner, wenn kann ich die andern tausend Pistolen haben?

WERNER. *(auf einmal wieder in seiner guten Laune)*
Morgen, Herr Major, morgen. –

v. TELLHEIM.
Ich brauche dein Schuldner nicht zu werden; aber ich will dein Rentmeister seyn. Euch gutherzigen Leuten sollte man allen einen Vormund setzen. Ihr seyd eine Art Verschwender. – Ich habe dich vorhin erzürnt, Werner! –

WERNER.
Bey meiner armen Seele, ja! – Ich hätte aber doch so ein Tölpel nicht seyn sollen. Nun seh ichs wohl. Ich verdiente hundert Fuchtel. Lassen Sie mir sie auch schon geben; nur weiter keinen Groll, lieber Major! –

v. TELLHEIM.
Groll? – *(ihm die Hand drückend)* Lies es in meinen Augen, was ich dir nicht alles sagen kann. – Ha, wer ein besseres Mädchen, und einen redlichern Freund hat, als ich, den will ich sehen! – Franciska, nicht wahr? – *(geht ab)*

|191|

## Funfzehnter Auftritt.

Werner. Franciska.

5 Franciska. *(vor sich)*
Ja gewiß, es ist ein gar zu guter Mann! – So einer kömmt mir nicht wieder vor. – Es muß heraus! *(schüchtern und verschämt sich Wernern nähernd)* Herr Wachmeister –

10 Werner. *(der sich die Augen wischt)*
Nu? –

Franciska.
Herr Wachmeister –

15

Werner.
Was will Sie denn, Frauenzimmerchen?

Franciska.
20 Seh Er mich einmal an, Herr Wachmeister. –

Werner.
Ich kann noch nicht; ich weiß nicht, was mir in die Augen gekommen.

25

Franciska.
So seh Er mich doch an!

Werner.
30 Ich fürchte, ich habe Sie schon zu viel angesehen, Frauenzimmerchen! – Nun, da seh ich Sie ja! Was giebts denn?

FRANCISKA.
Herr Wachmeister, – – braucht Er keine Frau Wachmeisterinn?

5 WERNER.
Ist das Ihr Ernst, Frauenzimmerchen?

|192| FRANCISKA.
Mein völliger!

10

WERNER.
Zöge Sie wohl auch mit nach Persien?

FRANCISKA.
15 Wohin Er will!

WERNER.
Gewiß? – Holla, Herr Major! nicht groß gethan! Nun habe ich wenigstens ein eben so gutes Mädchen, und
20 einen eben so redlichen Freund, als Sie! – Geb Sie mir Ihre Hand, Frauenzimmerchen! Topp! – Ueber zehn Jahr ist Sie Frau Generalinn, oder Wittwe!

Ende der Minna von Barnhelm,
25 oder des Soldatenglücks.

# Zu dieser Ausgabe

## Zur Textgestalt

Die von Gotthold Ephraim Lessing (1729–1781) auf den Zwischentitel seines Lustspiels *Minna von Barnhelm* gesetzte Angabe „Verfertiget im Jahre 1763" ist eine literarische Fingierung. Auch die briefliche Ankündigung der baldigen Fertigstellung des Stücks vom 20. August 1764 an Karl Wilhelm Ramler (1725–1798) ist nur mit großen Vorbehalten wörtlich zu nehmen. „Ich brenne", schrieb Lessing, „vor Begierde, die letzte Hand an meine Minna von Barnhelm zu legen".

In der Tat hatte Lessing das Stück in Breslau im Frühjahr 1764 in Angriff genommen, und er hatte es bis zum August, unterbrochen von einer schweren Krankheit, ziemlich weit vorangetrieben. Der endgültige Abschluß der Arbeit erfolgte jedoch erst 1765. Nachdem Lessing im Mai dieses Jahres wieder Wohnung in Berlin genommen hatte, ging er mit Ramler Akt für Akt durch und legte, bevor das Stück in Druck ging, im Winter 1766/67 allerletzte Hand an seinen Text. Die Handschrift befindet sich heute in der Deutschen Staatsbibliothek zu Berlin.

Zur Ostermesse 1767 erschien *Minna von Barnhelm oder das Soldatenglück* im Verlag von Christian Friedrich Voß in Berlin in zwei Versionen: im zweiten Teil der Ausgabe von Lessings *Lustspielen* und als Einzelausgabe, die vom Drucksatz der Lustspiele abgezogen wurde.

Der Text unserer Ausgabe folgt dieser ersten Einzelausgabe zeichengenau in Orthographie und Interpunktion. Eingriffe in den Originaltext wurden nur bei offensichtlichen Satzfehlern vorgenommen (z.B. wurde „Fraulein" durch „Fräulein", „schworen" durch „schwören" oder „souderbare" durch „sonderbare" ersetzt). Angaben in eckigen Klammern sind Konjekturen, Hinzufügungen bzw. Verdeutlichungen des Herausgebers. Textanordnung (Absätze, Leerzeilen, Zentrierungen etc.) und Schriftgestaltung (Punktgröße, Auszeichnungen usw.) geben, ohne ein Faksimile ersetzen zu wollen, in modifizierter Form die originale Situation wieder. Die Ziffern zwischen den senkrechten Haarstrichen markieren die Paginierung des ersten Einzeldrucks.

## Glossar

*a. c.:* (lat.) anni currentis = des laufenden Jahres
*Aemtern:* Verwaltungsbezirken
*Affaire:* hier: Gefecht
*Affaire d'honneur:* Ehrenhandel
*affektirten:* gezwungenen, gekünstelten
*Ah, Mademoiselle ... pais-la!:* Ach, gnädiges Fräulein, hätte ich doch dieses Land niemals gesehen!
*Ah, Mademoiselle, que Vous étes charmante!:* Ach, mein Fräulein, Sie sind sehr bezaubernd!
*Ah que Son Excellence ... placé!:* Ach ja, Seine Exzellenz hat doch das Herz auf dem rechten Fleck!
*Ah voila ... ce Major!:* Ah, ganz seine höfliche Art! Er ist ein höchst galanter Mann, der Herr Major!
*à l'ordinaire:* für gewöhnlich
*alter:* hier: ehemaliger, früherer
*A propos:* (frz.) übrigens
*arrivir:* ergangen
*aufzumutzen:* herauszustreichen
*au reste:* übrigens, schließlich
*Avancement / avancirt:* (frz.) Beförderung / (hat sich) verbessert, (wurde) befördert
*Blessuren / blessirten:* Verwundungen / verwundeten
*blöde:* schüchtern
*Capitaine:* Hauptmann
*C'est ... faché:* Schade, das ist aber ärgerlich

*C'est sa chambre:* das ist sein Zimmer
*Charackter:* im Sinn von „Stellung", „Beruf"
*charmiren:* schön tun, den Hof machen
*Comment?:* Wie?
*Comment ... coeur:* Wie, mein gnädiges Fräulein? Sie wollen mit mir teilen? Von ganzem Herzen
*Comment ... fait:* Wie, gnädiges Fräulein? Das nennen Sie betrügen? Dem Glück nachhelfen, es an seine Finger fesseln, seiner Sache sicher sein
*Dato:* (lat.) Dativ von lat. datum = gegeben
*Disposition:* wohlgeordneter (Schlacht-)Plan
*Donnés-moi ... à plumer, &– :* Geben Sie mir ein einfältiges Täubchen zu rupfen, und –
*Donnés toujours ... donnés:* Geben Sie nur immer, mein Fräulein, geben Sie
*Dukaten:* deutsche Goldmünzen (= 3 Taler)
*einnehmen:* (als Gäste) aufnehmen
*entladen:* entlastet
*entstehen:* ausbleiben, ermangeln
*Equipage:* (frz.) hier: Uniform, Feldausrüstung
*Est-il permis, Monsieur le Major?:* Ist es erlaubt, Herr Major?
*&c.:* (lat.) et cetera; „und das übrige", „und so weiter"
*& de ce moment ... fortune:* und mit diesem Augenblick beginne ich wieder, an mein Glück zu glauben
*& le Ministre ... entre nous:* und der Minister hat mir im Vertrauen gesagt, denn Seine Exzellenz ist einer meiner Freunde, und es gibt unter uns keinerlei Geheimnisse
*explicier:* ausdrücken, deutlich machen
*Extraction:* Herkunft
*Feldscheer:* Wundarzt

*Freyschulzengericht:* nicht steuerpflichtiges Bauerngut, verbunden mit dem Amt des Bürgermeisters
*Friedrichsdor:* preußische Goldmünze (= 5 Taler)
*Fuchtel:* eigtl. Degen mit breiter Klinge; Schlag mit der flachen Klinge
*galant:* höflich, ritterlich, vornehm, standesgemäß
*gehörigen Orts:* = die zuständige Polizeibehörde
*Gratial:* Dankgeschenk
*Grillen:* närrische Einfälle, Launen, trübe Stimmung
*Groschen:* kleine deutsche Münzeinheit (= 12 Pfennige)
*Handschrift:* hier: Schuldschein
*Heller:* kleine deutsche Münzeinheit
*Honnet-homme:* Ehrenmann
*hundsföttsche:* feige, verächtliche
*infalliblement:* unfehlbar
*infame:* ehrlose, niederträchtige
*Interessen:* Zinsen
*interessir:* beteiligt
*invitir:* eingeladen
*Je fais ... dexterité:* Ich überschlage beim Abheben der Karten mit solcher Fertigkeit
*Je file ... adresse:* Ich unterschlage die Karte mit einer Geschicklichkeit
*Je sais ... Dames:* Ich weiß nur zu gut, daß da noch etwas anderes mit im Spiel war. Denn unter den Mitspielern befanden sich gewisse Damen
*Je sais monter un coup:* Ich verstehe einen Kunstgriff zu machen
*Je suis ... dire?:* Ich bin ziemlich geschickt, gnädiges Fräulein, verstehen Sie, was das heißt?

*Justitzkollegiis:* lat. Flektionsform von Justizkollegium = Gerichtsversammlung, Gerichtsamt
*Kamin:* Ofen
*Kantinen:* hier: Flaschenkasten oder allg. Trinkvorrat
*Kasten:* Einfassung (der Brillanten)
*Katz aushalten:* vom Katzballspiel abgeleitet; stillhalten
*Katzenhäusern:* mehrmals zwischen Preußen und Österreich im Siebenjährigen Krieg umkämpfte Gegend bei dem Dorf Katzenberg in der Nähe von Meißen
*Kompliment / komplimentiren:* hier: Höflichkeitsfloskel / höflich grüßen
*Komplot:* Anschlag, Verschwörung
*Kontribution:* Kriegssteuer
*Läuffer:* hier: Bote, Kurier
*Laissés-moi faire:* Lassen Sie mich nur machen
*le Chevalier Riccaut … de Prensd'or:* den Ritter Riccaut de la Marlinière, Herrn von Schuldental, aus der Linie derer von Nimmsgold
*Le Major … est-il?:* Der Major von Tellheim; richtig, mein schönes Kind, ihn suche ich. Wo ist er?
*liaison:* Verbindung
*Liverey:* (frz. Livree) uniformartige Dienerkleidung
*Livre:* (Plural) Pfund; französische Währung bis 1796
*logier:* wohnt
*Louisdor:* französische Goldmünze (= 5 Taler)
*Madame:* gnädige Frau
*Mademoiselle:* gnädiges Fräulein
*Mademoiselle, je joue … croyance:* Gnädiges Fräulein, ich spiele mit einem Pech, das alle Vorstellung übersteigt
*Mademoiselle parle … pardonnerés, Mademoiselle:* Das gnädige Fräulein spricht französisch? Aber gewiss, wie ich sehe!

Die Frage war sehr unhöflich. Sie werden mir verzeihen, mein Fräulein.

*Mais non:* aber nein

*Metier:* (frz.) Beruf, Handwerk, Geschäft

*Mohr von Venedig:* Othello; Hauptfigur aus Shakespeares gleichnamigem Drama

*Mores:* (lat.) Sitten, Manieren

*Mundirungsstücke:* Ausrüstungen, Uniformen

*Negligee:* (frz.) Morgenrock

*Nouvelle:* Neuigkeit, Nachricht

*Oekonomie:* Sparsamkeit, Wirtschaftlichkeit

*Oheim:* Onkel

*Ordre:* (frz.) Befehl, Auftrag

*ottomannische Pforte:* eigtl. das große Tor des Sultanspalastes in Konstantinopel; im übertragenen Sinne: „die türkische Herrschaft"

*Oui, Mademoiselle ... pavé!:* Ja, mein Fräulein, man hat mich verabschiedet, und nun liege ich auf der Straße!

*Parbleu:* verflixt, verdammt

*parliren:* reden, plaudern

*Pistolen:* span. Goldmünzen (= 5 Taler); Handfeuerwaffen

*Point:* Punkt

*pour le tiers:* zu einem Drittel

*Prinz Heraklius:* Fürst von Georgien, der 1760 gegen die Perser und 1770 gegen die Türken die Unabhängigkeit seiner Länder verteidigte

*qui est ... jamais eu:* die wirklich königlichen Geblüts ist. – Man muß schon sagen, ich bin ohne Zweifel der abenteuerlustigste Spross, den unser Haus je gehabt hat

*qu'un malheur ...:* ein Unglück kommt selten allein.

*Rackers:* Schinders

*Rapport / rapportiren:* Bericht / melden, berichten
*ratihabirende:* (als) gültig bestätigte
*reformir:* reformieren, abdanken
*Rentmeister:* Vermögensverwalter
*resolvir ... jamais:* völlig zugunsten des Majors entschieden. – Mein Herr, sagte Seine Exzellenz zu mir, Sie werden begreifen, dass alles von der Art und Weise abhängt, in der man dem König die Dinge darstellt, und Sie kennen mich ja. Ein prächtiger Kerl, dieser Tellheim, und weiß ich denn nicht, daß Sie ihn lieben? Die Freunde meiner Freunde sind auch meine Freunde. Zwar, dieser Tellheim kommt dem König ein wenig teuer zu stehen, aber dient man den Königen denn umsonst? Man muß sich auf dieser Welt gegenseitig helfen; und wenn schon mal einer verlieren muß, dann soll der König den Verlust tragen und nicht Ehrenmänner wie wir. Von diesem Prinzip weiche ich niemals ab
*Resource:* Einnahme-, Erwerbsquelle
*revanche; mais – Vous m' entendés:* Revanche (zu geben); aber – Sie verstehen mich
*rouinir:* ruiniert, zerstört
*Sachés donc:* Erfahren Sie also
*Schneller:* List, Streich, Kniff
*Schulzengerichte:* →Freischulzengericht
*Schwemme:* flache Uferstelle zum Tränken und Reinigen der Tiere
*Sophistinn:* spitzfindige Wortverdreherin
*Spandau:* Festung bei Berlin mit Strafanstalt
*Staaten-General:* Generalstaaten; Regierung der Niederlande

*Stände:* Landesordnung nach gesellschaftlicher Schichtung: Adel, Geistlichkeit, Städte, Bauern etc.
*Subordination:* Unterordnung, Gehorsam
*Summa Summarum:* (lat.) alles in allem
*Tabagie:* (frz.) urspr. Rauchzimmer; Kneipe
*Thaler:* deutsche Münzeinheit (= 24 Groschen)
*Tant mieux ... fureur:* Desto besser, gnädiges Fräulein, desto besser! Alle geistreichen Leute sind leidenschaftliche Spieler
*tracktire:* behandle
*Tranchons ... rien:* Offen gestanden, ich habe keinen Pfennig und stehe genaugenommen vor dem Nichts
*une Lettre de la main:* ein Handschreiben
*untergesteckt:* auf andere Regimenter verteilt
*urgiret:* vorgebracht, betrieben
*Valute:* (ital.) Wertbeträge
*veritabler Danziger... doppelter Lachs:* echter, nach dem Verfahren des Danziger Hauses „Zum Lachs" doppelt destillierter Likör (Danziger Goldwasser)
*verzogner Name:* ineinander verschlungene Namensinitialen, Monogramm
*verzweifelte:* hier: verwünschte, verfluchte
*vexirt uns:* hält uns zum Narren
*Vorbewußt:* Vorwissen
*Vorsicht:* göttliche Vorsehung
*Votre très-humble:* Ihr ganz Ergebenster
*Vous ếtes bien bonne:* Sie sind gar zu liebenswürdig
*Vous voyés en moi:* Sie sehen in mir
*Winspel:* preußisches Getreidemaß
*wohlaffektionirter:* gewogener, wohlgesonnener

## Daten zu Leben und Werk
## Gotthold Ephraim Lessing
## (1729–1781)

**1729–1741 Kamenz / Sachsen**

1729 Am 22. Januar wird Gotthold Ephraim Lessing geboren. Er ist das dritte von zwölf Kindern der Primariustochter Justine Salome Lessing, geb. Feller, und des Pastors Johann Gottfried Lessing. Das protestantische Pfarrhaus wird für Lessing eine lebenslang prägende Kindheitserfahrung bleiben.

**1741–1746 Meissen**

Stipendiat der Fürstenschule St. Afra in Meißen.

**1746–1748 Leipzig**

1746 Lessing beginnt am 20. September zunächst das Studium der Theologie und wendet sich dann schöngeistigen philologischen Fächern zu.

1747 Erste Gedichte, Erzählungen und Dramen entstehen.

1748 Lessings erstes Lustspiel, *Der junge Gelehrte,* wird erfolgreich von der Neuberschen Truppe aufgeführt.

**1748–1751 Berlin**

Als Rezensent und Wissenschaftsredakteur der *Berlinischen Privilegierten Zeitung* und als Übersetzer tätig; Entscheidung für eine freie Schriftstellerexistenz.

1749 entsteht neben den Lustspielen *Die Juden* und *Der Freigeist* auch das Trauerspielfragment *Samuel Henzi,* das aktuelle politische Ereignisse aufgreift.

1751–1752 WITTENBERG

Lessing schließt seine Studien mit der Magisterpromotion ab.

1752–1755 BERLIN

Bekanntschaft mit Johann Georg Sulzer und Karl Wilhelm Ramler; Freundschaft mit Christoph Friedrich Nicolai, Moses Mendelssohn und Ewald von Kleist.

1753–1755 Eine sechsteilige Werkausgabe erscheint; sie enthält Gedichte, Briefe, kritisch-polemische Schriften, Jugendlustspiele und das bürgerliche Trauerspiel *Miß Sara Sampson.*

1755–1758 LEIPZIG

1756 Aufbruch mit Johann Gottfried Winkler zu einer Bildungstour durch Europa, die jedoch wegen des Beginns des Siebenjährigen Krieges in Amsterdam aufgegeben wird. Die Reiseroute führte über Wolfenbüttel. Freundschaft mit Wilhelm Gleim.

1758–1760 BERLIN

1758 Arbeit an dem Fragment gebliebenen Drama *D. Faust.*

1759 erscheinen der tragische Einakter *Philotas* und drei Bände *Fabeln.*

1759–1760 *Briefe, die neueste Literatur betreffend.*

1760–1765 BRESLAU
Sekretär des Generals Tauentzien in Breslau.

1765–1767 BERLIN
1766 Abschluss des *Laokoon.*
1767 Das Lustspiel *Minna von Barnhelm* macht Lessing zum Liebling des deutschen Publikums.

1767–1770 HAMBURG
Lessing arbeitet als Dramaturg am „Nationaltheater". Aus dieser Arbeit entsteht das grundsätzliche Werk über die Schauspielkunst, die sog. *Hamburgische Dramaturgie.* Nach dem Scheitern der „Hamburgischen Entreprise", dem Nationaltheater am Gänsemarkt, folgt der Versuch der Gründung einer eigenen Druckerei mit Johann Joachim Christoph Bode, der jedoch ebenfalls aus finanziellen Gründen scheitert. Verkehr in den Familien Reimarus und König.
1768–1769 *Briefe antiquarischen Inhalts* und *Wie die Alten den Tod gebildet.*

1770–1781 WOLFENBÜTTEL
Lessing wird Bibliothekar der Herzoglichen Bibliothek.
1771 Verlobung mit Eva König. Mitglied der Hamburger Loge zu den drei Rosen.
1772 Am 13. März wird *Emilia Galotti* in Braunschweig uraufgeführt.
1774–1778 Herausgabe der *Fragmente eines Ungenannten* von Hermann Samuel Reimarus (1694-1768).

1775–1776 Reise nach Leipzig, Berlin, Dresden, Wien. Audienz bei Kaiser Joseph II. In Wien Zusammensein mit Eva König. Unerwünschte achtmonatige Weiterreise nach Italien als Begleiter des Prinzen Leopold von Braunschweig.

1776 Lessing schließt am 8. Oktober die Ehe mit Eva König.

1777 Reise nach Mannheim. Plan, die Leitung des dortigen Theaters zu übernehmen.

1777 Ein am 25. Dezember geborener Sohn stirbt nach 24 Stunden.

1777–1778 *Anti-Goeze.*

1778 Eva König stirbt am 10. Januar an den Folgen des Kindbettes.

1778 Die Lessing 1772 erteilte Zensurfreiheit wird am 3. August entzogen. Freimaurergespräche *Ernst und Falk I-III.*

1779 Ende April: *Nathan der Weise.*

1780 *Ernst und Falk IV-V* und der geschichtsphilosophische Versuch *Die Erziehung des Menschengeschlechts.* Friedrich Heinrich Jacobi besucht Lessing: Gespräch über Spinoza und den Pantheismus.

1781 Lessing stirbt am 15. Februar in Braunschweig.

1783 Uraufführung des *Nathan* in Berlin am 14. April im Theater in der Behrensstraße durch die Döbbelinsche Truppe.

## Minna von Barnhelm

Am 15. Februar 1763 wurde im Friedensschluss von Hubertusburg der Siebenjährige Krieg beendet, der am 29. August 1756 damit begonnen hatte, dass König Friedrich II. von Preußen die sächsische Grenze überschritt, um sich den Besitz Schlesiens zu sichern. Bereits im Oktober hatte das sächsische Heer kapituliert, und die Feindschaft, die sich aus den jahrelangen kriegerischen Spannungen zwischen Preußen und Sachsen aufbaute, war mit dem Friedensschluss, auf den die Fingierung Lessings im Zwischentitel anspielt – „Verfertiget im Jahre 1763" –, nicht einfach aus der Welt geschafft.

Nur einen Tag – mehr ließen die strengen dramaturgischen Forderungen der Poetik um die Mitte des 18. Jahrhunderts nicht zu – der unmittelbaren Nachkriegszeit zeigt Lessings Lustspiel *Minna von Barnhelm.* Es ist genau der 22. August 1763. Der Schauplatz ist in Berlin, und zwar ein Gasthof (Eingangshalle und ein Gästezimmer) in einer der belebtesten Gegenden des damaligen Zentrums. Der atmosphärische Hintergrund wird geprägt durch die schlechte wirtschaftliche Lage, durch das allgegenwärtige preußische Polizeiregiment mit seinem umfassenden Überwachungssystem und durch das Elend der vielen Veteranen und Invaliden. Es ist oft von Blessuren und verlorener Ehre die Rede in diesem Lustspiel, noch mehr aber von Geld, Geldangelegenheiten und Geldverlegenheiten. Tellheims Problematik offenbart sich nicht zuletzt an seinem völlig widersprüchlichen Verhältnis zum Geld. Zur Verwegenheit des Stücks, das zunächst vor allem ein aktuelles Zeitstück ist, gehört ferner, dass seine Helden und Heldinnen – letztere ganz besonders – ziemlich jung sind und weder Heroen und Heroinen noch komische Komödientölpel und lächerliche Einfaltspinsel. Minna und ihre Zofe Franziska sind noch nicht ganz 21 Jahre alt, und selbst der „alte“ Wachtmeister Paul Werner ist kein „alter“ Mann, sondern Tellheims „ehemaliger“ Wachtmeister, den er sich nun, da er unter reichlich zweifelhaften Umständen entlassen worden ist, nicht mehr leisten kann.

Den Gipfel der Verwegenheit, auch wenn darüber heftiger Streit entbrannte, stürmte Lessing natürlich nicht mit dem „anstößigsten“ Wort seines Lustspiels, mit dem Wort „Hure“, auch nicht mit den vielen Preußen missliebigen Anspielungen, die eine Aufführung des Stückes zunächst verhinderten, sondern mit der einfachen Grundsituation, die alle Konventionen verkehrt: Das junge, sächsische „Fräulein“ Minna ist einzig in Begleitung eines in den Augen der Zeit fast unmündigen Kammermädchens in einer unsicheren Zeit und in einer „verzweifelten“ (= verwünschten |38|) Großstadt des ehemaligen Kriegsgegners unterwegs, um mit großem emanzipatorischem Einsatz den Mann ihrer Wahl zu suchen und zu erobern. Die im Hintergrund gegenwärtige Vormundschaftsperson, der Graf von Bruchsall, Minnas Onkel, scheint zwar vordergründig die Verwegenheit der Grundsituation des Stücks zu relativieren, aber im dramaturgischen Kalkül kommt ihm weniger die Funktion der

Anstandsperson zu als die eines Jokers, mit dem Minna ihr Spiel spielt, und schließlich die eines „deus ex machina" (der überraschend und unmotiviert erscheinende Gott aus der Theatermaschine), der aller Komödienverwirrung ein schnelles und glückliches Ende bereitet. Minnas Onkel ändert nichts an der „Enormität" – so später Hofmannsthals in Minnas Fußstapfen gehende Helene Altenwyl in seiner Komödie *Der Schwierige* (III,8) –, mit der Lessing alle Aktivität, alles Intrigenspiel und alle Werbung seiner Minna aufbürdet zum Vorteil einer unerschöpflichen Frische des Lustspiels.

In der Intrige, mit der Minna in die Offensive geht, um Tellheims falsches, weil einer traditionellen Rollenverteilung und Rollenauffassung verhaftetes Bewusstsein zu korrigieren, bringt Lessing nicht nur einen tiefgreifenden gesellschaftlichen Wandel im Verhältnis der Geschlechter zum Ausdruck, sondern in ihr schlägt sich auch eine völlig neue, formale Konzeption der Komödie nieder. Sie verabschiedete die Situationskomik zugunsten von Wortwitz und Sprachspiel, literarisierte das Genre und bot mit ihrer Dramaturgie den nunmehr individuellen Suchstrategien der Liebe, einer Liebe aus Passion und nicht mehr aus ständischer gesellschaftlicher Konvention, adäquate mediale Mittel und Möglichkeiten, sich auszudrücken. Das reibungslose, ja virtuose Zusammenspiel von neuer Form und neuem Inhalt ließ Lessings *Minna von Barnhelm* zu einem literarhistorischen Meilenstein innerhalb der mit Meilensteinen reich bestückten Schwellenzeit nach 1750 werden.

Lessing fand die wirkungsvollsten Lösungen für die Vermittlung der neuesten Inhalte seiner bürgerlichen Komödie seinerseits nicht auf Anhieb. Der Geniestreich, mit dem er die große, wenngleich problematische deutsche Komödientradition begründete, bedurfte ausgiebiger Vorübungen in langsamer Ummodellierung der Schemata. Die Jugendlustspiele zeigen den Dichter in den Bahnen der literarischen Überlieferung, aus denen er nur gelegentlich und sehr diszipliniert und kalkuliert ausbricht. Erst in der *Minna von Barnhelm* werden die Abweichungen von der dramatisch-theatralischen Norm vor aller Augen offenbar. Sie verdichteten sich zu einem bisher unerhörten, zu einem originalen Werk, das Anfänge markierte, das neue Maßstäbe setzte, weil in ihm die Epoche der Aufklärung beispielhaft repräsentiert und reflektiert ist.

Die Komödie ist ein Verhütungsmittel, ein „Präservativ" (*Hamburgische Dramaturgie*, 29. Stück, 7. August 1767) gegenüber „Torheiten" der Art, die gemeinhin als Übertreibungen gelten dürfen. Die Drastik und Forschheit des Bildes soll nicht darüber hinwegtäuschen, dass Lessing damit weniger seine neue Komödientheorie und -praxis auf den Punkt bringt, sondern dass er damit die bisher geltende beschreibt, die im Verlachen der Laster und Lasterhaftigkeiten ihre Besserungsabsichten zu erfüllen glaubte. Lessing sieht ihren Zweck eher in vorbeugender Verhütung. Ansatzweise ist von solchem ‚die Gesundheit der Gesunden' befestigendem Gelächter auch noch in der *Minna* etwas zu hören; es wird aber schnell erstickt von dem neuen, eher leisen Lachen aus weltüberlegenem Humor, das dem Ernst des Spiels, das gleichwohl Spaß macht, angemessen ist. Tellheim ist eben mehr als nur der „Ehrenhafte" nach dem Schema der Typenkomödie; Minna ist analog zu Tellheim, dem Narr der

Ehre, mehr als nur eine Närrin der Liebe. Das gilt auch für alle anderen Figuren des Stücks, die ihre Herkunft aus der unaufgeklärten „commedia"-Tradition nicht leugnen, die jedoch alle graduelle Stadien der Aufgeklärtheit und damit auch Charaktere in ihrer Zwiespältigkeit repräsentieren. Just ist nicht nur ein eindimensionaler, grober, wenngleich treuer Diener seines Herrn, er kann in einer anderen Situation durchaus auch eine Tugendlektion erteilen, die ihn gegen allen Anschein als „ehrlichen Kerl" erweist (|77|). Dies hilt auch für Werner und Franziska, für Tellheim und Minna, ja sogar für den Wirt und für das scheinbare Kabinettstück der Verlachkomödie, Riccaut de la Marlinière. Keiner wird dem ausschließlichen Verlachen der Tugendhaften preisgegeben, keiner wird eindeutig verurteilt oder verklärt, allein schon, weil der reine Tugendhafte selber eine Verlachfigur ist, weil alle Tugend ihr durchaus Fragwürdiges besitzt. Was sollte das auch für eine Tugend sein, die ihren Schein nur mit Hilfe eines Präservativs behaupten und aufrechterhalten wollte?

Das Neue an Lessings dramatischer Meisterleistung liegt darin, dass er alle Schablonen meidet. Alle Verhältnisse, die das bisherige Lustspiel starr nach Schema Tugend und Laster, nach Schema Verlachen und Rührung, die das Theater nach Schema niedere Komödie und hohe Tragödie gelöst hatte, werden von ihm nun unter der Maßgabe Nivellierung, Annäherung und Ausgleich behandelt. Das Geniale bestand darin, das Nächstliegende, das Einfache zu sehen und wie im gleichzeitigen gesellschaftlichen Angleichungsprozess zuzulassen. Es findet keine Umwertung der Werte statt, und vielleicht war gerade deshalb der Weg vom Verlachen zum Lachen so weit und langwierig, war es so schwierig, an die Stelle des Typus das Individuum zu setzen. Sätze der Art wie „Die Komödie will durch Lachen bessern; aber nicht eben durch Verlachen" (*Hamburgische Dramaturgie*, 29. Stück, 7. August 1767) wollten erst niedergeschrieben, Einsichten, dass vollkommene Charaktere missgeschilderte Charaktere sind, dass die Repräsentanz des reinen Lasters in einer Figur gegen alle Wahrheit verstößt, wollten erst ausgesprochen sein. Ergebnisse wie die theoretische Annäherung von Verlachkomödie und rührendem Lustspiel zu einer Komödienqualität, deren neuer Ernst eine Annäherung an das Trauerspiel brachte, das seinerseits sich eine neue, bürgerliche Mitte suchen musste, wollten erst noch umgesetzt werden. Erst nach ausgiebiger Beschäftigung mit den theoretischen Positionen der europäischen Komödientradition konnte Lessing das praktische Muster der Gattung vorlegen. Deshalb ist die Brachzeit zwischen seinen Jugendlustspielen und der *Minna von Barnhelm* so lang und wird mit vielerlei Definitionsversuchen und Abgrenzungsbemühungen überbrückt. Lessing übersetzte sowohl die 1749 gegen die weinerliche Komödie („comédie larmoyante") geschriebene Abhandlung *Réflexions sur le Comique-larmoyant* von Pierre-Mathieu de Chassiron (1704–1767) als auch die 1751 von Christian Fürchtegott Gellert (1715–1769) als Apologie des rührenden Lustspiels verfasste Abhandlung *Pro comoedia commovente.* Beide erschienen 1754 und zeigen neben der Auseinandersetzung mit Diderots (1713–1784) Theorien und seinem praktischen Theater, auf welchen Wegen die Neuorientierung des Theaterwesens verlief und auf welch verschlungenen Pfaden das in der *Minna von Barnhelm* mit Händen greifbare Neue gefunden wurde.

Nicht oft sind die Voraussetzungen eines die epochalen Erfahrungen vollkommen darstellenden Werkes so klar nachzuvollziehen wie im Falle von Lessings Lustspiel; selten kann die Ausbildung der poetologischen Kriterien und die Gewinnung der dramaturgischen Techniken so minutiös verfolgt werden; um so verwunderlicher bleibt der Umstand, dass, obwohl auch der Nachweis für alle möglichen Quellen und Motive erbracht wurde (aus Goldoni, Farquhar, Otway, Regnard, de La Motte etc.), Lessings *Minna von Barnhelm* nach Stoff und Fabel, Poetik und Dramaturgie, Form und Inhalt ein absolut einmaliges Werk wurde, über dessen Genese in den Breslauer Jahren, die die schweigsamste und zugleich turbulenteste Zeit seines Lebens ist, wir eigentlich nichts wissen.

Die bevorzugte Stellung der *Minna von Barnhelm* sowohl im Verhältnis zu ihrer Epoche als auch innerhalb der Geschichte des Lustspiels ist vor allem, aber nicht ausschließlich ihrer Bühnenwirksamkeit zuzuschreiben. Seit der Uraufführung am 30. September 1767 im Hamburger Nationaltheater behauptet sich das Stück bis heute erfolgreich unter ständig wechselnden Akzenten auf allen Bühnen und garantiert den Schauspielern Beifall und den Theatern ein volles Haus. Selbst der Optimismus des Lustspielschlusses aus dem Geiste des Theodizee-Gedankens der Leibnizschen Philosophie, der mit der problematischen Form des Herrscherlobs verknüpft ist, beeinträchtigt den Erfolg bei den Zuschauern von heute kaum. Der ungebrochene Aufklärungsglaube an den vernünftigen Gang der Geschichte aus der Güte einer göttlichen Vorsehung, die das Sinnvolle des Weltplans gewährleistet und immer neu bestätigt, kurz der Sieg der Vernunft, der dem Skeptizismus von heute angesichts der Unstimmigkeiten und Widersprüche der Welt entschieden opponiert, scheint das Publikum nicht zu irritieren. Ernst Blochs Plädoyer für das „Happy-End" in seinem Jahrhundertwerk *Das Prinzip Hoffnung* hat wohl auch im Falle der *Minna von Barnhelm* dem ‚anstößigen' Geschichtsoptimismus den Stachel gezogen. Die poetische Einkleidung der Hoffnung, jedenfalls ihres Vorscheins, der in jedem „Happy-End" formuliert wird, ist dem aufgeklärten und nachaufgeklärten Zuschauerbewusstsein ein durchschauter „fröhlicher Schwindel". Ins Positive gewendet heißt das, dass auch der Lustspielausgang der *Minna von Barnhelm* gegen die widerstrebende Wirklichkeitserfahrung, die sich eher an die Bitterkeit und Enttäuschung Tellheims klammern möchte, ein Märchen von gelungener Aufklärung wie ein Weihnachtsgeschenk anbietet. Der Empfänger freut sich über die Gabe, glaubt gleichwohl aber nicht mehr an die Botschaft. Für den ferneren Erfolg des Stückes auf der Bühne ist mit dieser Lesemöglichkeit einstweilen gesorgt.

Für die Literaturtheorie dagegen liegt das Erfolgsgeheimnis der *Minna von Barnhelm* im Ästhetischen begründet. Das Aufklärungsstück klärt auch über sich selbst als literarische Gattung ästhetisch auf. Es ist selbstreflexiv geworden und definiert sich in Minnas Worten wie diese gegenüber Tellheim tatsächlich als „lachende Freundinn" (|139|) des Zuschauers, das/die seine Umstände weit richtiger, weniger tragisch beurteilt, als er selbst. Der moderne Zuschauer ist in Übertreibung seiner tragischen Anwandlungen, seiner melancholischen Grillen, selber eine lächerliche Figur für das Lustspiel. Die spöttische Lustspielfreundin Minna, das personifizierte Lustspiel, kommentiert es auf ironisch verhaltene Weise: „Das klingt sehr tragisch!" (|72|) Lacht der Zuschauer, so ist sein Lachen auch ein Verlachen seiner selbst mit therapeutischer Wirkung. Er ist am Ende des Lustspiels auch heute seiner eigenen Vorurteile überführt.

Ring 135f. 149 157f. 161 173
177f. 189

Parade - Drechslerpuppen 135
Macht man das, was einem so einfällt 137

Vorsehung 143f.

Oberhitze 190 (Schluß)

Lachend ernsthaft sein 141

F II's Brief 169

T's rhetoric 159 164! 186 188

Ein ehrlicher Mann muß stecken in welcher Farbe auch immer 186

T's opinions about Menschen a actually very like F II's!